SAMANTHA,

15 ANS,
HÉROÏNE D'UN JOUR

MEG CABOT

SAMANTHA,
15 ANS,
HÉROÏNE D'UN JOUR

Traduit de l'anglais (États-Unis)
par Josette Chicheportiche

hachette

Je remercie du fond du coeur Beth Ader, Jennifer Brown, Barbara Cabot, Matt Cabot, Josh Horwitz, Michele Jaffe, Laura Langlie, Abby McAden, Ericka Markman, Ron Markman, David Walton et Benjamin Egnatz.
Je remercie également Tanya, Julia et Charlotte Horwitz qui ont été à l'origine de cette histoire..

L'édition originale de cet ouvrage
a paru en langue anglaise (États-Unis)
HarperCollins, New York,
sous le titre :
All american girl
© Meggin Cabot, 2002.
© Hachette Livre, 2005, pour la traduction française,
et 2012, pour la présente édition.

Hachette Livre, 43 quai de Grenelle 75015 Paris.

Aux vrais héros du 11 septembre 2001

Les dix raisons pour lesquelles je ne supporte pas ma sœur Lucy :

10. Je récupère toutes ses vieilles fringues, même ses vieux soutiens-gorge.

9. Si je refuse de les mettre, et surtout de mettre ses vieux soutiens-gorge, j'ai droit à un sermon sur le gaspillage et l'environnement. Je m'en fiche, je refuse quand même de les mettre. Lorsque j'ai dit à ma mère que de toute façon je ne voyais pas pourquoi je porterais un soutien-gorge vu que je n'ai pas grand-chose à soutenir, Lucy m'a fait remarquer que si je n'en portais pas maintenant, le jour où j'en aurais besoin, mes seins tomberont comme ceux des femmes de cette tribu qu'on a vues l'autre jour dans un reportage sur Discovery Channel.

8. C'est l'une des autres raisons pour lesquelles je ne supporte pas ma sœur. Elle me fait toujours ce genre de remarque. Vous savez quoi ? C'est à

ces femmes qu'on devrait envoyer les soutiens-gorge de Lucy.

7. Ses conversations au téléphone se résument à : « Je te crois pas... Qu'est-ce qu'il a dit ? ... Et toi, t'as répondu quoi ? ... Non... C'est dingue... Pas possible... Qui a dit ça ? ... Eh bien, c'est faux... Je ne sais pas... Je ne peux pas le sentir... D'accord, je vais essayer. Oh, oh, faut que je te laisse. On m'appelle sur l'autre ligne. »

6. Elle fait partie des pompom girls. Oui, vous avez bien lu. Des *pompom girls*. Comme si ça n'était pas déjà assez qu'elle passe son temps à agiter des pompons devant une bande de crétins qui courent sur un terrain de foot, il faut en plus qu'elle le fasse tous les soirs. Et vu que nos parents sont pour les repas-pris-en-famille, qu'est-ce qu'on fait à votre avis tous les soirs à cinq heures et demie ? On mange. Qui a faim à cette heure-là ? je vous le demande.

5. Tous mes profs me disent : « Je ne comprends pas, Samantha, quand j'avais ta sœur, il y a deux ans, je n'avais jamais besoin de lui rappeler : a) de sauter une ligne b) d'écrire la première lettre des substantifs allemands en capitale c) de ne pas oublier son maillot de bain d) d'ôter ses écouteurs pendant les réunions d'information e) de cesser de dessiner sur son jean. »

4. Elle a un petit ami. Et pas n'importe lequel. Un, ce n'est pas un sportif, ce qui ne s'est jamais vu dans la hiérarchie sociale de notre lycée : une pompom girl avec un type qui ne pratique aucun sport. Et deux, Jack est un rebelle, comme moi, sauf que lui, il porte une veste qui vient d'un vrai surplus de l'armée, des Doc Martens, le jean et tout le reste. Y compris les boucles d'oreilles.

Bon d'accord, Jack n'est pas ce qu'on appelle une « lumière », mais il a beaucoup de talent et c'est un très grand artiste. Ses tableaux, qui dépeignent une jeunesse américaine délinquante, sont systématiquement exposés sur les murs de la cafétéria. Et personne ne s'amuse à dessiner des graffitis dessus, comme ce serait le cas avec les miens.

Et pour couronner le tout, papa et maman le détestent sous prétexte qu'il ne met pas à profit ses capacités intellectuelles et s'est fait renvoyer du lycée pendant trois jours pour avoir osé contester l'autorité du principal. Ils n'aiment pas non plus qu'il les appelle Carol et Richard. Ils préféreraient qu'il s'en tienne à M. et Mme Madison.

C'est dégoûtant que Lucy sorte avec un garçon non seulement cool mais que nos parents n'apprécient pas. Toute ma vie, j'ai prié pour que ça m'arrive. Enfin, presque toute ma vie. Cela dit, je n'ai jamais rencontré de garçon jusqu'à présent qui aurait pu faire l'affaire.

3. Bien qu'elle sorte avec un artiste rebelle et non un sportif, Lucy est l'une des filles qui a le plus la cote au lycée. La preuve : tous les samedis soir, elle est invitée à une fête, parfois à plusieurs même. Du coup, elle me dit souvent : « Hé, Sam, pourquoi n'iriez-vous pas à ma place, Catherine et toi ? Vous seriez mes émissaires ! » Ben voyons. C'est clair qu'on se ferait jeter comme de vulgaires gamines dès notre arrivée.

2. Elle s'entend bien avec maman et papa – sauf en ce qui concerne Jack – et cela depuis toujours. Elle s'entend même bien avec notre petite sœur, Rebecca, qui fréquente une école spéciale pour enfants surdoués, et qui a le don de me taper sur les nerfs.

Mais la raison essentielle pour laquelle je ne supporte pas ma sœur, c'est :

1. Qu'elle m'a caftée aux parents au sujet de mes portraits de stars.

1

Elle dit qu'elle ne l'a pas fait exprès. Qu'elle les a vus dans ma chambre et qu'elle les a trouvés tellement beaux qu'elle n'a pas pu s'empêcher de les montrer à maman.

Évidemment, ça ne lui a pas traversé l'esprit qu'elle n'avait pas le droit d'entrer dans ma chambre. Quand je l'ai accusée de violer mon droit à la vie privée, droit reconnu par la constitution américaine, elle m'a regardée et a fait : « Hein ? », même si la constitution américaine est à son programme d'histoire, cette année.

Il paraît qu'elle est entrée dans ma chambre parce qu'elle cherchait son recourbe-cils.

À d'autres, oui ! Elle sait bien que jamais je ne lui emprunterais quoi que ce soit. Et surtout pas quelque chose qui risque de toucher d'aussi près ses yeux globuleux.

Bref, au lieu de son recourbe-cils, que je n'avais évidemment pas, Lucy a découvert ma pile de portraits de la semaine dernière et l'a montrée à maman pendant le dîner.

— Je comprends mieux maintenant pourquoi tu n'as pas eu la moyenne en allemand, Sam, a observé ma mère en découvrant les dessins dans mon classeur d'allemand.

— Est-ce censé être l'acteur qui joue dans *Le Chemin de la liberté* ? a demandé mon père. Et qui as-tu représenté à ses côtés ? Serait-ce... *Catherine* ?

— C'est nul, l'allemand. C'est une langue idiote, ai-je déclaré avec le sentiment qu'ils n'avaient rien compris.

— C'est absolument faux, est intervenue Rebecca. Les Allemands sont issus de groupes ethniques qui vivaient du temps des Romains. Leur langue est très belle et a été créée il y a plusieurs milliers d'années.

— Et alors ? Est-ce que tu sais qu'ils écrivent tous les substantifs avec la première lettre en capitale ? À quoi ça leur sert ?

— Hum, hum, a fait ma mère en considérant la première page de mon classeur. Qu'avons-nous ici ?

— Sam, pourquoi dessines-tu ton amie Catherine sur le dos d'un cheval avec ce type qui joue dans *Le Chemin de la liberté* ? a demandé mon père.

— Je crois que la réponse est ici, Richard, a dit ma mère.

Là-dessus, elle lui a tendu mon classeur.

Pour ma propre défense, je rappelle que nous

vivons pour le meilleur ou pour le pire dans une société capitaliste. Aussi, n'ai-je fait qu'appliquer mes droits en proposant au public – essentiellement la population féminine du lycée John Adams – un produit pour lequel je sentais qu'il y avait une forte demande. On aurait pu penser que mon père, en tant qu'économiste auprès de la Banque mondiale, l'aurait compris.

Mais à mesure qu'il lisait à voix haute la première page de mon classeur d'allemand, j'ai senti qu'il n'avait pas compris. Mais alors pas du tout.

— Toi et Josh Hartnett, lisait-il donc, quinze dollars. Toi et Josh Hartnett sur une île déserte, vingt dollars. Toi et Justin Timberlake, dix dollars. Toi et Justin Timberlake sous une cascade, quinze dollars. Toi et Keanu Reeves, quinze dollars. Toi et...

Il a levé les yeux et a dit :

— Pourquoi Keanu Reaves et Josh Hartnett ont plus que Justin Timberlake ?

— Parce que Justin Timberlake a moins de cheveux.

— Oh, je vois, a-t-il répondu en revenant à la liste. Toi et Keanu Reeves en train de faire du rafting en eau vive, vingt dollars. Toi et James Van Der Beek, quinze dollars. Toi et James Van Der Beek en train de faire du deltaplane, vingt...

Ma mère l'a arrêté à ce moment-là.

— De toute évidence, a-t-elle commencé, avec la voix qu'elle prend lorsqu'elle s'adresse à la cour – ma mère est avocate, spécialisée dans les questions d'environnement. S'il y a bien une chose que tout le monde évite à la maison, c'est qu'elle prenne cette voix-là –, Samantha a des problèmes de concentration en allemand. La raison pour laquelle elle rencontre ces problèmes pourrait, me semble-t-il, s'expliquer par l'absence d'exutoire à son énergie créatrice. À mon avis, si un tel exutoire lui était offert, ses notes en allemand s'amélioreraient aussitôt.

Et c'est comme ça que le lendemain, ma mère m'a annoncé sitôt rentrée du travail, que tous les mardis et jeudis, de trois heures et demie à cinq heures et demie, je suivrais un cours de dessin à l'atelier de Susan Boone.

Apparemment, cela ne l'a pas effleurée que je puisse très bien dessiner toute seule, dans ma chambre, par exemple. Elle ne se rend pas compte non plus que ces cours risquent de détruire ma spontanéité et mon style. Comment pourrais-je rester fidèle à ma propre vision des choses, comme Van Gogh, si quelqu'un se penche par-dessus mon épaule et m'explique ce que je dois faire ?

— Merci, ai-je lancé à Lucy quand je l'ai trouvée quelques heures plus tard dans la salle de bains qu'on partage, debout devant le miroir en train de séparer ses cils à l'aide d'une épingle de sûreté – même si notre nounou, Theresa, lui a raconté que sa cousine Rosa s'était crevé un œil comme ça.

Lucy m'a regardée par-dessus l'épingle de sûreté.

— De quoi ?

Ça m'a sidérée qu'elle ne voie pas de quoi je parle.

— Tu m'as caftée aux parents au sujet de mes dessins !

— Oh, ça, a-t-elle constaté en revenant à ses cils. Ne me dis pas que tu m'en veux. Moi qui pensais t'être utile.

— *Utile* ? ai-je répété. Je suis dans le pétrin à cause de toi ! Maintenant, je vais devoir assister deux fois par semaine à un cours de dessin quand... quand j'aurais pu regarder la télé !

Lucy a ouvert de grands yeux étonnés.

— Tu n'as rien compris. Tu es ma sœur et je ne peux pas te laisser être la risée de tout le bahut. Tu n'es inscrite à aucune activité extra-scolaire, tu t'habilles en noir tout le temps, tu m'interdis de te coiffer. Il fallait bien que je fasse quelque chose. Grâce à ces cours, tu deviendras peut-être célèbre ! Comme Georgia O'Keeffe.

— Sais-tu quels tableaux ont rendu Georgia O'Keeffe célèbre, Lucy ?

Ma sœur a fait non de la tête.

— Pour ses tableaux représentant des vagins. Voilà pourquoi Georgia O'Keeffe est célèbre.

Ou, comme Rebecca n'a pas manqué de nous le faire remarquer alors qu'elle passait devant la porte de la salle de bains, le nez dans le dernier épisode de *Star Trek*, sa saga préférée :

— En fait, les images abstraites de vagins de Georgia O'Keeffe sont des représentations sensuelles de fleurs dont le contenu symbolique est hautement sexuel.

J'ai dit à Lucy de demander à Jack si elle ne me croyait pas. Mais Lucy m'a répondu qu'elle ne parlait pas de ça avec Jack.

— Tu veux dire de vagins ? ai-je demandé.

— Non, d'art, m'a répliqué ma sœur.

Je ne comprends pas. Elle sort avec un artiste et ils ne parlent pas d'art ? Vous savez quoi ? Si un jour je sors avec un garçon, on parlera de *tout*. Même d'art. Et de vagins.

2

Catherine est restée en arrêt quand je lui ai annoncé que j'allais prendre des cours de dessin.

— Mais tu sais déjà dessiner !

Je ne pouvais, évidemment, qu'être d'accord. Mais ça fait du bien de se dire qu'on n'est pas seul à penser que suivre un cours de dessin deux fois par semaine est une perte de temps.

— Ça ne m'étonne pas de Lucy, a continué Catherine.

On était dans le Bishop's Garden, où on promenait Manet. Le Bishop's Garden se trouve dans l'enceinte de la National Cathedral. C'est là que sont célébrées les funérailles de toutes les personnes illustres qui meurent à Washington, D.C. C'est à cinq minutes de Cleveland Park, où on habite. Ce qui est pratique, parce que Manet adore venir ici pour courir après les écureuils et surprendre les couples d'amoureux qui s'embrassent sur les bancs ou à l'abri du kiosque.

Mais au fait, qui allait sortir Manet quand je serais à l'atelier de Susan Boone ? Ce n'était pas la peine de compter sur Theresa. Elle le déteste, même s'il a arrêté de mordiller les fils électriques. Elle dit qu'elle a assez de travail comme ça avec nous et qu'il est hors de question qu'elle s'occupe de mon chien de berger de quarante kilos.

— Je n'en reviens pas que Lucy ait fait ça ! s'est exclamée Catherine. Qu'est-ce que je suis contente de ne pas avoir de sœur !

Catherine est la cadette, comme moi – ce qui explique peut-être pourquoi on s'entend si bien. Sauf qu'elle a deux frères, un grand et un petit. Mais ni l'un ni l'autre ne sont aussi beaux et intelligents qu'elle.

— Cela dit, si ça n'avait pas été Lucy, ça aurait été Kris Parks, a-t-elle ajouté alors qu'on s'engageait le long de l'étroit chemin qui serpente à travers le jardin. Kris t'en veut de les avoir fait payer, elle et ses copines, et pas les autres.

Ce qui, si vous voulez mon avis, est le point le plus positif de toute l'histoire. D'avoir fait payer Kris Parks et sa bande. Toutes les autres filles ont eu droit à leur portrait gratuitement.

La première fois que j'ai dessiné le portrait de Catherine aux côtés de Heath Ledger, son acteur préféré du moment, ça a fait le tour du lycée tellement vite que je me suis retrouvée avec une liste de filles me suppliant de les représenter avec la star de leur choix.

Au début, je ne pensais pas me faire payer. J'étais trop contente d'offrir mes dessins à mes amies.

Et puis, ce sont les filles non-anglophones du lycée qui sont venues me voir. Je ne pouvais décemment pas leur demander de l'argent. Si vous veniez d'emménager quelque part – soit parce que vous avez échappé à un régime totalitaire ou, comme c'est le cas de la plupart d'entre elles, parce que votre père est ambassadeur ou diplomate –, vous ne supporteriez pas de devoir payer pour votre portrait aux côtés d'une star. Je sais ce que c'est de vivre dans un pays dont on ne parle pas la langue : c'est horrible. Grâce à mon père, qui est à la tête de la division Afrique du Nord de la Banque mondiale, j'en ai fait l'expérience. On a passé un an au Maroc quand j'avais huit ans. Eh bien, j'aurais adoré que quelqu'un, là-bas, m'offre gracieusement un dessin de Justin Timberlake au lieu de me dévisager comme si j'étais une espèce de monstre sous prétexte que je ne savais pas dire : « Veuillez m'excuser » en marocain quand j'avais besoin d'aller aux toilettes.

Ensuite, ça a été le tour des filles des classes spécialisées. Je ne pouvais pas non plus les faire payer, car je sais aussi ce que c'est d'être dans une classe spécialisée. À notre retour du Maroc, j'avais décidé de me débarrasser de mon zozotement. Mais je devais me faire « aider professionnellement ». Résultat, pendant que mes camarades étaient en musique, j'allais chez une orthophoniste pour apprendre à placer ma langue.

Comme si ce n'était pas déjà assez pénible, il fallait en plus que Kris Parks – ma meilleure amie jusqu'à notre départ pour le Maroc, mais qui, à mon retour, disait : « Samantha *qui* ? » – se moque systématiquement de moi quand je reprenais ma place en cours.

On aurait dit qu'elle ne se souvenait pas d'être venue tous les soirs chez moi pour jouer à la Barbie. Non, d'un seul coup, elle ne pensait plus qu'à « traîner » avec les garçons dans l'espoir qu'ils l'embrassent. Le fait que je préfère mourir plutôt que laisser un garçon poser ses lèvres sur les miennes – en particulier Rodd Muckinfuss, qui était le tombeur de notre classe, cette année-là – m'a aussitôt valu le surnom de « bébé » (mon zozotement devait sans doute y participer, si vous voulez mon avis), et Kris m'a laissé tomber comme une vieille chaussette.

Du coup, son attitude m'a super motivée à apprendre à parler correctement. Et le jour où mon zozotement a été supprimé, je suis allée la voir et je l'ai traitée de sainte-nitouche et de frimeuse débile.

On ne s'est plus jamais adressé la parole depuis.

Bref, partant du principe que les élèves des classes spécialisées n'ont franchement pas besoin qu'on les embête, j'ai décidé que pour eux aussi, mes dessins seraient gratuits.

Le problème, c'est que Kris Parks n'a pas apprécié. Non que je ne fasse pas payer les non-anglophones et les élèves des classes spécialisées, mais que je les fasse payer, elle et ses copines.

Qu'est-ce qu'elle croyait ? Que j'allais demander de l'argent à Catherine, ma meilleure amie depuis que je suis rentrée du Maroc. Catherine et moi, on fait bloc contre Kris Parks. Quelle peste, celle-là ! À croire que son plaisir, dans la vie, c'est de nous envoyer des piques. Tous les jours, il faut qu'elle se moque de la façon de s'habiller de Catherine. Comme la mère de Catherine est super catho, elle oblige sa fille à porter des jupes qui lui arrivent en dessous du genou.

Alors lui offrir un portait d'elle avec Orlando Bloom ? Elle rêve !

Des gens comme Kris Parks – qui n'a jamais fréquenté de classe spécialisée et encore moins une école où personne ne parle sa langue – ne savent pas ce que ça veut dire être gentil avec quelqu'un qui n'est pas blond, qui ne fait pas du 36 et qui ne s'habille pas à la dernière mode.

Bref, quelqu'un qui n'est pas comme Kris Parks.

On parlait de tout ça, Catherine et moi, en rentrant du Bishop's Garden – de Kris Parks, je veux dire, et de son intolérance – lorsqu'une voiture s'est arrêtée à notre hauteur et que j'ai reconnu mon père derrière le volant.

— Salut, les filles ! a lancé ma mère en se penchant par-dessus mon père. J'imagine qu'aucune de vous deux ne veut nous accompagner à un match de Lucy.

— Maman, laisse tomber. Ça ne les intéresse pas, est intervenue Lucy depuis l'arrière de la voiture où elle était assise en tenue de pompom girl. Et si, par hasard elles venaient, regarde Sam. J'aurais honte qu'on me voie avec elle.

— Lucy ! a lâché mon père sur un ton menaçant.

Je me suis retenue de lui dire que ce n'était pas nécessaire qu'il se fâche : j'ai l'habitude des remarques désobligeantes de ma sœur à propos de mon allure.

Avoir de l'allure, c'est bien joli pour des filles comme Lucy, dont la première préoccupation dans la vie, c'est de ne pas rater les soldes chez Club Monaco. Pour Lucy, par exemple, le fait que le supermarché du coin se mette à vendre des vêtements signés Paul Mitchell a été la cause d'une jubilation comme on n'en a pas vu depuis la chute du mur de Berlin.

Personnellement, je m'intéresse plus à des sujets qui concernent le monde en général, comme le fait que trois millions d'enfants se couchent tous les soirs le ventre vide, et que les cours d'arts plastiques sont systématiquement ceux que l'on supprime chaque fois que le conseil d'administration scolaire doit combler un déficit.

Ce qui explique pourquoi, au début de l'année, j'ai teint mes vêtements en noir pour montrer que :

a) je portais le deuil de notre génération pour qui,

apparemment, il n'y a rien de plus important que ce qui va se passer dans le prochain épisode de *Friends*, et

b) la mode s'adressait à des poseuses comme ma sœur.

Je me souviens que ma mère a failli avoir une attaque le jour où je les ai teints. Elle aurait pu au moins se dire que l'une de ses filles pensait à autre chose qu'à se faire les ongles. Mais non !

Pour en revenir à cette histoire de match, ma mère, à l'inverse de Lucy, n'était visiblement pas prête à renoncer aussi vite. Elle a eu un large sourire radieux, alors que la journée était loin d'être radieuse – il bruinait et il faisait un froid de canard, bref, le genre de journée de novembre où personne (en tout cas pas moi, qui n'ai pas du tout l'esprit de groupe) n'a envie de s'asseoir sur des gradins et regarder des garçons courir après un ballon pendant que des filles en jupe et sweat-shirt roses les acclament –, et s'est tournée vers Lucy en disant :

— On ne sait jamais. Elles pourraient changer d'avis.

Puis elle a ajouté, à notre intention, à Catherine et à moi :

— Qu'en pensez-vous ? Après le match, papa a promis de nous emmener à Chinatown manger des dim su. Mais je suis sûre qu'on pourra te trouver un hamburger, Sam, a-t-elle précisé en me regardant.

— Je suis désolée, madame Madison. Je ne peux pas, a répondu Catherine.

En fait, elle ne semblait pas désolée du tout mais ravie d'avoir une excuse pour ne pas venir. Catherine déteste être avec des gens de son âge, car elle a toujours droit à des réflexions sur sa garde-robe, du genre : « Hé, la fermière ! Où c'est-y que t'as rangé la charrue ? »

— Je dois rentrer. On est dimanche, et c'est jour...

— De repos, je sais, l'a coupée ma mère, effectivement au courant des pratiques du père de Catherine.

Diplomate à l'ambassade du Honduras ici, à Washington, D.C., il tient à ce que le dimanche soit un jour de repos et oblige ses trois enfants à rester à la maison. Catherine n'avait été autorisée à sortir que pour rapporter le DVD de *The Patriot* (film qu'elle a vu dix-sept fois) au Video Club. Le détour par la National Cathedral n'était évidemment pas prévu, mais Catherine estimait que dans la mesure où on se trouvait à proximité d'une église, ses parents ne se fâcheraient pas s'ils apprenaient son écart.

— Richard, Carol. N'insistez pas, a déclaré Rebecca en levant les yeux de son ordinateur portable assez longtemps pour nous signifier à tous qu'elle commençait à se lasser de la situation.

— Papa, et non Richard, a corrigé ma mère. Et c'est maman, et non Carol.

— Désolée, a répondu Rebecca. Mais est-ce qu'on pourrait y aller ? J'ai une autonomie de deux heures seulement et je dois rendre un texte de trois pages pour demain.

Rebecca qui, à l'âge de onze ans devrait être en sixième, est inscrite à Horizon, une école pour surdoués où elle suit des cours de première année de fac. Il n'y a que des mutants avec elle. La preuve, le fils de notre actuel président, qui est lui-même un mutant – je parle du fils, quoique tout bien réfléchi, le père aussi doit être un peu mutant sur les bords –, y va aussi. À Horizon, les élèves ne sont pas notés. Ils reçoivent un rapport à chaque fin de trimestre. Sur le dernier rapport de Rebecca, il était écrit : *Bien que Rebecca suive les cours de première année d'université, elle doit rattraper ses pairs du point de vue de la maturité émotionnelle et faire des efforts de sociabilité.*

Parce que si, intellectuellement, Rebecca pourrait avoir quelque chose comme quarante ans, elle se comporte comme une petite fille de six ans et demi. C'est une chance qu'elle n'aille pas dans une école pour enfants normalement intelligents, comme Lucy et moi : les Kris Parks de onze ans n'en feraient qu'une bouchée.

Ma mère a poussé un soupir. Elle a toujours eu la cote au lycée. Comme Lucy. Elle a même reçu le prix de camaraderie. Du coup, elle ne comprend pas où elle s'est trompée avec moi. Je suis sûre qu'elle pense que c'est à cause de papa. Parce que, comme moi, il a passé ses années de lycée à rêver d'être ailleurs.

— Très bien, a lâché ma mère. Puisque tu préfères rester à la maison, reste à la maison, Sam. Mais...

— N'ouvre à personne, ai-je fini à sa place.

À quoi pensait donc ma mère ? À part la Dame au Pain, personne ne sonne jamais chez nous. La Dame au Pain est l'épouse d'un diplomate français qui vit dans notre rue. On ne connaît pas son nom. On l'appelle juste la Dame au Pain, parce que toutes les trois semaines environ, elle perd le sens des réalités – à mon avis, elle a le mal du pays – et se met à cuire une centaine de pains français qu'elle vend ensuite cinquante cents dans le quartier. Je suis accro à ses baguettes. En fait, c'est pratiquement la seule chose que je mange, avec les hamburgers ; je déteste la plupart des fruits et des légumes, et une bonne partie des autres aliments, comme le poisson et tout ce qui contient de l'ail.

La seule autre personne qui sonne à notre porte, à part la Dame au Pain, c'est Jack. Mais on n'a pas le droit de lui ouvrir quand nos parents ou Theresa ne sont pas là. Tout ça, parce qu'un jour, Jack a tiré avec une carabine à air comprimé sur la vitre de la voiture de son père pour protester contre le test des médicaments sur des animaux. Mes parents ont refusé d'admettre que Jack avait été obligé d'employer ce moyen afin que son père comprenne qu'on torturait des bêtes. Ils semblaient penser qu'il avait agi ainsi juste pour s'amuser, ce qui est naturellement faux. Jack ne fait jamais rien « juste pour s'amuser ». Il cherche à rendre le monde meilleur.

Moi, je pense que, si maman et papa ne veulent pas que Jack vienne à la maison en leur absence, c'est parce qu'ils ont peur que Lucy et lui aillent trop loin. Ce qui est tout à fait compréhensible de leur part, mais pourquoi ne le disent-ils pas tout simplement au lieu de se cacher derrière cette histoire de carabine à air comprimé ?

— On y va, oui ou non ! s'est écriée Lucy. Je vais finir par être en retard pour le match.

— Et pas de portraits de stars tant que tu n'as pas fini ton allemand ! m'a prévenue ma mère tandis que mon père démarrait.

— Je croyais que tu n'avais plus le droit de faire de portraits de stars, a dit Catherine après leur départ.

Manet, qui avait repéré un écureuil de l'autre côté de la rue, a tiré sur sa laisse.

— J'ai toujours le droit, ai-je expliqué en haussant la voix pour me faire entendre par-dessus les aboiements de Manet, mais je n'ai plus le droit de me faire payer.

— Oh, a fait Catherine.

Puis elle a ajouté, d'un ton suppliant :

— Dans ce cas, tu ne veux pas me dessiner Heath, s'il te plaît ? C'est la dernière fois que je te le demande. Promis.

— Bon, d'accord, ai-je répondu avec un soupir, comme si c'était un pensum pour moi.

Ce qui est faux, bien sûr. Parce que quand on aime faire quelque chose, ce n'est jamais une corvée, même si on n'est pas payé.

C'est du moins ce que je pensais, du dessin en tout cas... jusqu'à ce que je rencontre Susan Boone.

Les dix raisons pour lesquelles j'adorerais être Gwen Stefani, la chanteuse de No Doubt, le meilleur groupe de ska au monde :

10. Gwen peut se teindre les cheveux de la couleur qu'elle veut, même rose bonbon comme lors de sa dernière tournée. Ses parents ne lui diront rien, parce qu'ils l'apprécient en tant qu'artiste et ont compris que cela faisait partie de son impulsion créatrice.

9. Si Gwen choisit de s'habiller en noir, les gens n'y verront que la manifestation de son génie, et ne lui feront aucune réflexion désobligeante, comme c'est le cas pour moi.

8. Gwen a son propre appartement, du coup, ses frères et sœurs ne s'introduisent jamais chez elle sans y avoir été invités et ne fouillent jamais dans ses affaires pour aller ensuite raconter à leurs parents ce qu'ils ont trouvé.

7. Gwen écrit des chansons sur ses anciens petits copains et les chantent devant tout le monde. Vu que je n'ai jamais eu de petit ami, comment je pourrais écrire une chanson sur l'un d'eux ?

6. Elle ne paie pas ses CD. On les lui offre.

5. Si elle n'a pas la moyenne en allemand, sa mère ne l'oblige pas à suivre des cours d'écriture deux fois par semaine.

4. Des dizaines de sites Internet lui sont consacrés. Si vous inscrivez *Samantha Madison* dans n'importe quel moteur de recherche, vous n'obtiendrez rien sur moi.

3. Toutes les personnes qui n'ont pas été sympa avec Gwen pendant sa scolarité doivent probablement le regretter et lui lécher les bottes aujourd'hui. Sauf qu'elle peut leur répondre « T'es qui déjà, toi ? », comme Kris Parks à mon retour du Maroc.

2. Elle peut sortir avec tous les garçons qu'elle veut. Bon, d'accord, peut-être pas TOUS, mais je suis sûre qu'elle n'aurait aucun problème pour sortir avec le garçon que *j'aime*. Qui est malheureusement le petit ami de ma sœur.

Mais la raison essentielle pour laquelle j'aimerais être Gwen Stefani, c'est :

1. Qu'elle n'est pas obligée de suivre les cours de dessin de Susan Boone.

3

Finalement, c'est Theresa qui m'a conduite chez Susan Boone, le lendemain.

Cela dit, Theresa a l'habitude de servir de chauffeur. Elle travaille pour nous depuis notre retour du Maroc et s'occupe de tout ce que mes parents n'ont pas le temps de faire : nous conduire, faire le ménage, la lessive, les courses et préparer les repas.

Mais attention, ce n'est pas pour autant qu'on ne participe pas. Par exemple, je m'occupe de Manet et de tout ce qui le concerne, puisque je suis la seule de la famille à avoir réclamé un chien. Rebecca met le couvert, je débarrasse et Lucy vide le lave-vaisselle.

Notre organisation marche relativement bien, quand Theresa supervise. L'une de ses tâches consiste à faire régner la discipline chez nous puisque maman et papa sont – d'après le rapport d'Horizon – incapables « de fixer des limites » à leurs enfants.

Sur le chemin pour l'atelier de Susan Boone, Theresa, elle, n'avait aucun problème pour m'en fixer. Des limites. Elle me soupçonnait de vouloir me sauver dès qu'elle m'aurait déposée.

— Si tu crois, Samantha Madison, que je ne vais pas t'accompagner jusqu'à cet atelier de dessin, m'a-t-elle prévenue, tu te fais un film.

C'est l'une de ses expressions préférées. C'est moi qui la lui ai apprise. J'ai dû travailler dur pour l'acclimater à notre culture. Quand Theresa est entrée au service de notre famille, elle arrivait de son Équateur natal et ne savait rien des États-Unis.

Maintenant elle est au courant de ce qui est branché ou pas. Si vous voulez mon avis, MTV pourrait l'engager comme consultante.

Sinon, elle m'appelle Samantha Madison quand elle est en colère contre moi.

— Je sais très bien ce que tu penses, Samantha Madison, a-t-elle continué en se mettant au point mort.

Un cortège de voitures accompagnant le président bloquait Connecticut Avenue. C'est un des problèmes de la vie à Washington, D.C. On ne peut aller nulle part sans croiser un cortège présidentiel.

— Tu penses que dès que j'aurai le dos tourné, tu pourras filer dans le premier Virgin du quartier et que je n'y verrai que du feu, a repris Theresa.

J'ai lâché un soupir comme si cette idée ne m'avait jamais traversé l'esprit, bien que ce soit exactement mon intention. J'estime même que c'était mon devoir de le faire. Si je ne cherchais pas à m'opposer à l'autorité, comment pourrais-je conserver mon intégrité en tant qu'artiste ?

— Mais non, Theresa, ai-je protesté.

— Épargne-moi tes « Mais non, Theresa » ! Je te connais. Tu t'habilles en noir tout le temps et tu écoutes ta musique punk...

— Ska, ai-je corrigé.

— Si tu veux.

La dernière voiture du cortège présidentiel étant passée, on a pu repartir.

— Tu sais quoi ? Je te soupçonne même de vouloir teindre en noir tes magnifiques cheveux roux.

J'ai baissé les yeux. Est-ce que Theresa avait vu la boîte de teinture, dans l'armoire à pharmacie de la salle de bains ? Car malgré ce qu'elle en pensait, les cheveux roux, ce n'est pas magnifique du tout. Sauf quand ils tirent vers le blond, comme ceux de Lucy. D'ailleurs, dans son cas, on ne dit pas roux, mais blond vénitien, en hommage au Titien, un grand peintre ayant vécu à Venise. Mais des cheveux comme les miens, de la couleur et de l'aspect du cuivre qu'on trouve dans les fils électriques, non, franchement, ce n'est pas beau.

— Et à cinq heures et demie, quand je viendrai te chercher, je te retrouverai non pas dans la rue mais à l'atelier !

Theresa, c'est vraiment une mère à cent pour cent.

Elle a eu quatre enfants, qui sont tous adultes aujour-d'hui, et elle a trois petits-enfants, même si elle n'a qu'un an de plus que maman. C'est parce que son fils aîné, Tito, est, un imbécile. Dixit Theresa.

Et c'est à cause de l'imbécillité de Tito qu'on ne peut pas mener Theresa en bateau. Elle a déjà tout vu.

Lorsqu'on est enfin arrivées à l'atelier de Susan Boone, juste en face de l'église de scientologie, Theresa m'a observée d'un air méfiant. Non pas à cause de l'église de scientologie, mais à cause du magasin de disques, au rez-de-chaussée de l'immeuble de Susan Boone. Comme si ça pouvait m'intéresser !

Cela dit, Static, l'un des rares magasins de disques que je ne connaissais pas, avait l'air assez tentant – presque aussi tentant que le Capitol Cookies, la pâtisserie à côté. En passant devant, j'ai entendu les accords de *Only Happens When It Rains*[1], des Garbage. C'est l'une de mes chansons préférées. Si on y réfléchit bien, elle résume mon attitude face à la vie puisque le seul moment où mes parents me laissent dessiner dans ma chambre, c'est quand il pleut. Sinon, j'ai droit à des : « Tu devrais sortir t'aérer un peu » ou des « Pourquoi ne vas-tu pas faire un tour à vélo, comme tous les enfants ! »

Susan Boone avait dû faire insonoriser sa cage d'es-calier car une fois escaladés les deux étages qui menaient chez elle, on n'entendait plus les Garbage,

---

1. Ça n'arrive que quand il pleut. *(N.d.T.)*

mais du classique, et un autre bruit que je ne parvenais pas tout à fait à identifier. Je reconnaissais en revanche l'odeur : c'était la même que dans la salle d'arts plastiques, au lycée. L'odeur de peinture et d'essence de térébenthine.

Ce n'est qu'en ouvrant la porte de l'atelier que j'ai compris d'où venait l'autre bruit.

— Bonjour Joe ! Bonjour Joe ! Bonjour Joe ! criait un énorme perroquet perché sur le toit d'une cage en bambou.

— Joseph ! Tiens-toi bien ! a lancé une petite femme avec de longs cheveux blancs en surgissant de derrière un chevalet.

— Tiens-toi bien ! Tiens-toi bien ! Tiens-toi bien ! a répété l'oiseau en sautillant sur le toit de sa cage.

Theresa s'est affaissée sur un banc taché de peinture.

— Jesu Cristo, a-t-elle murmuré.

Si elle était déjà essoufflée à cause des deux étages, la vue de l'oiseau le lui a carrément coupé. Le souffle, je veux dire.

— Je suis désolée, s'est excusée la femme aux longs cheveux blancs. Ne faites pas attention à Joseph. Il lui faut un peu de temps pour s'habituer aux personnes qu'il ne connaît pas.

Elle m'a jeté un coup d'œil et a ajouté :

— Tu dois être Samantha, n'est-ce pas ? Enchantée. Moi, c'est Susan.

Quand on était encore au collège, Catherine et moi,

on a eu une période *fantasy*. On ne lisait que ça : Tolkien, Terry Brooks, Susan Cooper, Lloyd Alexander. Eh bien, Susan Boone me faisait penser à la reine des elfes (il y a toujours une reine des elfes dans les livres de *fantasy*). Elle était plus petite que moi et portait un étrange vêtement en lin dans les tons bleus et vert pâle.

Mais c'est surtout ses longs cheveux blancs – ils lui arrivaient à la taille ! – et ses yeux bleus, si vifs comparés à son visage dénué de tout maquillage, qui m'ont évoqué cette image. Et les commissures de ses lèvres ; elles remontaient légèrement, comme chez les elfes, même quand elle n'avait apparemment aucune raison de sourire.

Je lui ai serré la main, dont la peau était rêche et toute sèche.

— Je préfère qu'on m'appelle Sam, ai-je déclaré, surprise par sa poigne.

Elle n'aurait aucun problème à tenir Manet en laisse.

— Très bien, Sam, a-t-elle dit. Puis elle m'a lâchée et s'est tournée vers Theresa :

— Vous devez être madame Madison. Ravie de faire votre connaissance.

Theresa, qui avait depuis retrouvé ses esprits, s'est levée et a serré la main de Susan Boone en lui expliquant qu'elle n'était pas du tout ma mère, mais la nounou, et qu'elle viendrait me chercher à cinq heures et demie.

Puis elle est partie, et Susan Boone m'a conduite

jusqu'à un banc relié à une planche à dessin sur laquelle reposait un carnet de croquis.

— Tout le monde m'écoute, a-t-elle lancé en me faisant asseoir sur le banc. Je vous présente Sam. Voici...

Et, tels des lutins sortant de derrière d'immenses champignons vénéneux, les élèves de Susan Boone ont levé la tête de leur feuille et m'ont regardée :

— Lynn, Gertie, John, Jeffrey et David, a énuméré Susan en m'indiquant chaque fois du bout de l'index qui était qui.

Apparemment, ils semblaient tous très occupés par leur dessin, car leurs têtes ont presque aussitôt disparu. Je n'ai eu droit qu'à un vague coup d'œil de Lynn, une femme très maigre d'une trentaine d'années ; puis de Gertie, une femme entre deux âges plutôt ronde ; de John, également entre deux âges et appareillé ; de Jeffrey, un jeune Afro-Américain et enfin de David, qui portait un tee-shirt Save Ferris.

Ouf ! Je pourrais au moins parler avec quelqu'un. Je suis fan de Save Ferris.

Mais après avoir observé David de plus près, j'ai compris qu'il n'y avait aucune chance pour que *lui* m'adresse la parole. J'avais l'impression de l'avoir déjà vu. À tous les coups, il devait être au lycée où, il ne faut pas l'oublier, tout le monde m'évite depuis que j'ai suggéré que l'argent récolté avant Noël par la vente de papier cadeau soit donné aux classes d'arts plastiques.

Lucy, Kris Parks et leur bande ont proposé, elles, d'aller au parc d'attractions Six Flags Great Adventure.

Qui a gagné, selon vous ?

Et que je m'habille en noir, parce que je porte le deuil de ma génération, n'a pas exactement fait remonter ma cote de popularité.

David semblait avoir l'âge de Lucy. Il était plutôt grand – du moins, c'est l'impression qu'il me donnait, assis sur son banc –, avec des cheveux noirs frisés, des yeux d'un vert étonnant, de grandes mains et de grands pieds. En fait, il était assez mignon – mais pas aussi mignon que Jack –, ce qui signifiait que, s'il était au lycée, il devait traîner avec les sportifs. Tous les garçons mignons du lycée traînent avec les sportifs. Sauf Jack, bien sûr.

Du coup, quand il m'a fait un clin d'œil au moment où je m'asseyais et qu'il a murmuré : « Super, tes Doc », j'ai perdu mes moyens. Pensant qu'il se moquait de moi – comme ne manquent jamais de le faire la plupart des garçons qui traînent avec les sportifs, au lycée –, j'ai baissé les yeux et j'ai vu qu'il portait lui aussi des Doc Martens.

Sauf que, contrairement à moi, il n'avait pas tourné les siennes en dérision en les customisant avec des marguerites (peintes au Tipp-Ex et au surligneur jaune, un jour d'ennui, en cours d'allemand).

Alors que j'étais occupée à rougir comme une

pivoine parce que mon voisin que je trouvais mignon venait de m'adresser la parole, Susan Boone m'a dit :

— Nous travaillons la nature morte aujourd'hui. Puis elle m'a tendu un crayon à la mine bien taillée, et m'a indiqué plusieurs fruits posés sur une table, au milieu de la pièce, en ajoutant :

— Dessine ce que tu vois.

Et sur ces paroles, elle s'est éloignée.

On ne peut pas dire qu'elle cherchait à étouffer mon individualité ou mes talents d'artiste. Comme quoi, on peut se tromper, ce qui n'était pas pour me déplaire.

Tout en m'efforçant d'oublier mon voisin et son commentaire sur mes Doc – il avait dû me dire ça histoire d'être sympa avec la nouvelle –, j'ai regardé les fruits et j'ai commencé à dessiner.

« O.K., me suis-je dit. Ça ne se passe pas trop mal ». C'était même assez cool d'être ici. Susan Bonne m'intriguait avec ses cheveux et son sourire de reine des elfes, et mon voisin trouvait mes Doc super. Même le morceau de musique classique qu'on entendait en sourdine ne me donnait pas la nausée. Au contraire. Normalement, je n'écoute jamais de classique, sauf quand il y en a dans les films. Quant à l'odeur de l'essence de térébenthine, elle me faisait penser à un verre de cidre brut, un jour d'automne.

« Qui sait si je ne vais pas aimer venir, après tout, ai-je songé tout en dessinant. Ça pourrait être même drôle. C'est vrai, quoi ? Il y a des façons bien pires de passer quatre heures par semaine. »

Des poires. Du raisin. Une pomme. Une grenade. J'ai dessiné tout ça sans vraiment réfléchir à ce que je faisais. Je me demandais ce que Theresa nous préparerait à dîner. Je me demandais pourquoi je n'avais pas choisi espagnol en deuxième langue plutôt qu'allemand. Si j'avais pris espagnol, j'aurais pu me faire aider par deux hispanophones, Theresa et Catherine. Je ne connais personne qui parle allemand. Mais pourquoi ai-je choisi une langue aussi nulle ? Encore une fois, à cause de Lucy ! Elle m'avait dit que c'était facile. Facile ! Ha ! Pour elle, peut-être. Mais qu'est-ce qui n'est pas facile pour Lucy ? Lucy a tout : des cheveux blond vénitien, le plus parfait des petits amis, la chambre avec les deux fenêtres et le plus grand placard...

J'étais tellement occupée à dessiner et à réfléchir à tout ce qu'il y avait de mieux dans la vie de Lucy comparée à la mienne que je n'ai pas remarqué que Joe, le perroquet, avait quitté son perchoir et volait au-dessus de ma tête jusqu'à ce qu'il fonce droit sur moi et m'arrache une touffe de cheveux.

Je ne plaisante pas ! Un oiseau venait de m'arracher une touffe de cheveux !

J'ai poussé un hurlement, et Joe, surpris, a battu des ailes et éparpillé des plumes un peu partout.

— Joseph ! a crié Susan Boone quand elle a vu ce qui s'était passé. Lâche les cheveux de Sam !

Joe a aussitôt obéi et ouvert le bec. Trois ou quatre mèches couleur cuivre sont tombées à terre.

— Joli oiseau, joli oiseau ! a lancé Joe en penchant la tête dans ma direction.

Susan les a ramassées et me les a tendues, comme si je pouvais les recoller.

— Je suis absolument désolée, Sam, a-t-elle dit. Joe a toujours été attiré par tout ce qui brille.

— Il n'est pas méchant, est intervenue Gertie, inquiète que je puisse me faire de fausses idées sur l'oiseau de Susan Boone.

— Méchant oiseau, méchant oiseau, a répété Joe.

Je me suis rassise, ma touffe de cheveux dans la main. Pendant ce temps, Joe était retourné sur le toit de sa cage et ne me quittait pas du regard. Pour être plus précise, ce sont mes cheveux qu'il fixait. On aurait dit que ça le démangeait de m'arracher une autre touffe. Du moins, c'est l'impression qu'il me donnait. Est-ce que les oiseaux pensent et ressentent des choses ? Les chiens, oui. Mais les chiens sont intelligents. Tandis que les oiseaux sont stupides.

Mais pas aussi stupides que les humains, me suis-je rendu compte plus tard. Du moins qu'une certaine représentante de la race humaine.

À cinq heures et quart, Susan Boone a frappé dans ses mains en disant :

— Terminé. Sur le rebord de la fenêtre.

Tout le monde s'est levé, à part moi, pour aller déposer son carnet à croquis sur le rebord de la fenêtre, feuille tournée vers la salle. Les voyant faire, je me suis empressée de les imiter.

Mon dessin était de loin le plus réussi, ce qui m'embêtait. Franchement. Dès mon premier jour au cours de Susan Boone, je dessinais déjà mieux que tout le monde ! Même mieux que les adultes. Le dessin de John représentait tout sauf une nature morte, celui de Gertie était couvert de barbouillages et de pâtés, celui de Lynn évoquait un dessin d'enfant de maternelle, quant à Jeffrey, il avait dessiné quelque chose qu'il était difficile d'associer à un fruit. À un ovni peut-être, mais pas à un fruit.

Seul celui de David me paraissait relativement correct. Mais il n'avait pas eu le temps de finir. Ce qui n'était pas mon cas, car en plus des fruits posés sur la table, j'avais rajouté un ananas et quelques bananes, histoire d'équilibrer l'ensemble.

Tout en écoutant Susan Boone commenter la première nature morte, j'ai croisé les doigts pour qu'elle n'en fasse pas trop sur la qualité de mon dessin comparé à ceux des autres. Ça m'ennuyait qu'ils se sentent mal à cause de moi.

Mais Susan Boone se montrait assez diplomate. Mon père aurait pu l'embaucher, tellement elle avait de tact (les économistes sont bons quand il faut manier les chiffres, mais dès qu'il s'agit de relations humaines, ils sont, comme Rebecca, très mauvais). Bref, Susan Boone s'est étendue à n'en plus finir sur l'utilisation dramatique du trait de Lynn et le joli sens du placement de Gertie. Puis elle a félicité John pour ses progrès. Vu que tous les autres semblaient d'accord, j'en ai conclu que John avait dû commencer bien bas. David, lui, a eu droit à une « excellente juxtaposition » et Jeffrey, à une « intéressante finesse dans les détails ».

Lorsqu'elle est enfin arrivée à mon dessin, j'ai failli sortir de la pièce. C'était quand même le plus beau de tous. Je ne voudrais pas me vanter, mais mes dessins sont toujours les plus beaux. Après tout, dessiner, c'est ce que je fais de mieux.

Et j'espérais sincèrement que Susan Boone n'allait pas trop insister là-dessus. Les autres devaient déjà se sentir suffisamment gênés comme ça.

En fait, je n'aurais pas dû m'inquiéter pour eux. Parce que lorsque Susan Boone est arrivée devant mon dessin, elle n'a pas prononcé le moindre compliment. Elle l'a regardé, s'est rapprochée pour mieux l'observer sans doute, puis a fait un pas en arrière avant de déclarer :

— Eh bien, Sam, je vois que tu n'as dessiné que ce que tu savais dessiner.

J'ai trouvé son commentaire curieux. En même temps, depuis mon arrivée dans l'atelier, tout me paraissait curieux. Sympa – à part le coup de l'oiseau qui me vole une mèche de cheveux –, mais curieux.

— Euh..., oui, ai-je répondu.

— Sauf que je ne vous ai pas demandé de dessiner ce que vous saviez dessiner, mais ce que vous voyiez.

J'ai regardé mon dessin puis les fruits sur la table, et j'ai dit :

— C'est ce que j'ai fait. J'ai dessiné ce que je voyais.

— Tu crois ? a fait Susan, avec l'un de ses petits sourires de reine des elfes. Tu vois un ananas sur la table ?

Je n'ai pas eu besoin de jeter un coup d'œil à la table pour savoir qu'il n'y en avait pas.

— Non, mais...

— Non, m'a coupée Susan Boone. Et cette poire n'est pas là, non plus, a-t-elle ajouté en désignant une de mes poires.

— Il y a des poires sur la table, me suis-je exclamée, sur la défensive. Il y en a même quatre !

— C'est exact. Il y a bien quatre poires sur la table. Mais aucune ne ressemble à celle que tu as dessinée. Cette poire provient de ton imagination. Elle est parfaite, mais ce n'est pas une des poires que tu as vues.

Je n'avais pas la moindre idée de ce qu'elle racontait, mais apparemment, pour Gertie, Lynn, John, Jeffrey et David, c'était limpide. Ils acquiesçaient tous d'un air entendu.

— Tu comprends, Sam ? a repris Susan Boone en décrochant mon dessin pour l'approcher de la table. Tu nous as dessiné une très belle grappe de raisins, mais ce n'est pas non plus celle qui se trouve là. Les raisins sur la table ne sont pas parfaitement oblongs et ne sont pas de la même taille. Les tiens sont l'idée que tu te fais des raisins, mais ils ne sont pas ce que tu as devant toi.

J'ai cligné des yeux plusieurs fois. Je ne saisissais pas. Mais alors, pas du tout. Je comprenais plus ou moins ce qu'elle disait, mais je ne voyais pas où était le problème. Mes raisins étaient mille fois plus beaux que ceux des autres. Ça ne lui suffisait pas ?

Le pire, c'est que les autres, justement, me regardaient d'un air compatissant. J'ai senti que mes joues s'empourpraient. C'est comme ça, avec les roux. On rougit, genre quatre-vingt-dix-sept pour cent du temps. Et on ne peut rien y faire.

— Dessine ce que tu *vois*, Sam, a déclaré Susan Boone assez brusquement. Pas ce que tu sais.

À ce moment-là, Theresa, tout essoufflée d'avoir grimpé les deux étages à pied, est arrivée, et Joe s'est mis à crier : « Bonjour Joe ! Bonjour Joe ! »

Le cours était terminé. J'ai cru défaillir tellement j'étais contente de pouvoir m'échapper.

— À jeudi, Sam ! m'a lancé Susan Boone gaiement. J'ai hoché la tête tout en enfilant mon manteau et j'ai pensé : « C'est ça, oui. Tu peux courir pour que je revienne jeudi. »

Sauf que je ne savais pas que c'est exactement ce qui allait se produire. Enfin, d'une certaine façon.

4

Lorsque j'ai rapporté à Jack les paroles de Susan Boone, il a éclaté de rire.

Oui, il a éclaté de rire ! Comme si c'était drôle.

Je dois dire que ça m'a un peu blessée, même si c'était drôle. Enfin, plus ou moins.

— Sam, a-t-il commencé en agitant la tête de sorte que l'anneau qu'il portait à l'oreille a capté la lumière, tu ne peux pas laisser le système avoir raison de toi. Tu dois te battre.

C'est facile pour Jack de dire ça. Il mesure un mètre quatre-vingts et pèse au moins quatre-vingts kilos. L'entraîneur du club de foot du lycée n'arrête pas de lui demander de rejoindre l'équipe depuis que le meilleur arrière est parti pour Dubaï.

Mais Jack refuse d'être associé au rêve de l'entraîneur, à savoir être à la tête de la meilleure équipe de foot de la région. Jack ne croit pas aux sports d'équipe, non pas, comme moi, parce qu'à cause d'eux, les classes d'arts plastiques ne reçoivent presque pas de subventions de l'administration. Non, Jack est convaincu que le sport, comme la loterie, ne sert qu'à leurrer les prolétaires en leur faisant espérer qu'un jour, ils s'élèveront au-dessus de leurs pairs qui boivent de la bière et conduisent des pick-up.

C'est très facile pour un garçon comme Jack de se battre contre le système.

Moi, en revanche, je ne fais qu'un mètre soixante et je ne sais pas combien je pèse, car ma mère a retiré la balance de la salle de bains après avoir vu une émission à la télé sur la fréquence de l'anorexie chez les adolescentes aujourd'hui. Par ailleurs, je n'ai jamais réussi à monter à la corde en E.P.S., vu que, comme mon père, je n'ai aucune force dans les bras.

Lorsque je lui ai raconté tout ça, Jack a recommencé à rire, ce que je trouvais assez grossier de sa part. Il est quand même censé être mon âme sœur ! Même s'il ne le sait pas encore.

— Voyons, Sam, je ne parlais pas de lutter *physiquement* contre le système. Tu dois être plus subtile.

Assis à la table de la cuisine, il faisait un sort à une boîte de biscuits que Theresa avait sortie pour le goûter. Normalement, ce n'est pas au menu. Ma mère tient à ce qu'on ne prenne que des pommes, des barres de céréales et un verre de lait. Mais Theresa, à l'inverse de mes parents, se fiche pas mal des mauvaises notes de Jack ou de ses déclarations politiques à coups de carabine à air comprimé. Aussi, quand il vient à la maison, c'est un peu la fête. Parfois, elle lui concocte même des petits plats. Un jour, elle lui a préparé des caramels. Je vous le dis, que Theresa fasse des caramels pour le petit ami de Lucy prouve qu'il n'y a pas de justice en ce bas monde.

— Susan Boone étouffe mon imagination créatrice, ai-je déclaré d'un air outré. Elle veut me transformer en une espèce de clone...

— Mais bien sûr ! m'a coupée Jack. Tous les profs font la même chose. Tu essaies d'être inventive, tu rajoutes un ananas à ton dessin et paf ! le poing de la conformité te tombe dessus !

Quand Jack s'énerve, il mange la bouche ouverte. Du coup, la table était jonchée de morceaux de biscuits. Il y en a même qui ont atterri sur la couverture du magazine que lisait Lucy. Elle l'a posé, a baissé les yeux sur la table puis les a relevés en disant :

— Hé, Jack, parle, ne crache pas.

Vous comprenez maintenant ? Vous comprenez qu'elle n'en a rien à faire du génie de Jack.

J'ai mordu dans un biscuit. La table de la cuisine, où on prend seulement le petit déjeuner et le goûter, se trouve dans une espèce de verrière, construite sur le jardin. On habite une ancienne maison de style victorien, comme la plupart des maisons de Cleveland Park ; toutes sont peintes de couleurs vives. La nôtre, par exemple, est turquoise, jaune et blanche.

Mes parents ont fait ajouter la verrière l'année dernière. Le plafond, les murs et la table sont en verre. Résultat, comme la nuit était tombée, où que je regarde, je voyais mon reflet. Et je n'aimais pas trop l'image qu'il me renvoyait. C'est-à-dire, celle :

D'une fille de taille moyenne à la peau blanche parsemée de taches de rousseur et dont la tête était surmontée d'une masse de cheveux roux frisés.

Mais j'aimais encore moins ce que je voyais de part et d'autre de mon reflet :

Une fille aux traits délicats sans aucune tache de rousseur, dans un uniforme de pompom girl bordeaux et blanc, et avec des cheveux blond vénitien à peine bouclés retenus par une barrette.

Et

Un garçon magnifique à large carrure, avec des yeux bleu vif et de longs cheveux noirs, dans un jean déchiré et une veste de surplus de l'armée, mangeant des biscuits comme s'il n'y avait pas de lendemains.

Et il y avait moi, entre les deux. Au milieu. Où est ma place, d'ailleurs. J'ai vu un documentaire un jour sur la chaîne Santé, qui traitait de l'ordre de naissance dans les familles. Vous savez ce qu'ils disaient ?

Aîné (c.-à.-d. Lucy) : Enfants travailleurs. Obtiennent toujours ce qu'ils veulent. À l'âge adulte, finissent généralement à la tête d'une importante entreprise, dictateur d'un petit pays, top model, et tutti quanti.

Benjamin (c.-à.-d. Rebecca) : Enfants qui restent bébés. Obtiennent toujours ce qu'ils veulent. À l'âge adulte, découvrent souvent des remèdes, par exemple contre le cancer, animent leur propre show télévisé, et si une soucoupe volante vient à se poser, sont présents et accueillent les extraterrestres par un « Salut ! Bienvenue sur Terre ».

Cadet (c.-à.-d. moi) : Enfants perdus dans la mêlée. N'obtiennent jamais ce qu'ils veulent. À l'âge adulte, fuguent et vivent pendant des semaines des restes de hamburgers dénichés au fond des poubelles derrière le McDonald du coin avant que quelqu'un ne s'aperçoive de leur disparition.

Telle est l'histoire de ma vie.

Quoique, tout bien réfléchi, que je sois gauchère indique que j'ai eu probablement, à un moment donné, un jumeau. Du moins, d'après l'article que j'ai lu chez le dentiste. Selon une théorie, la plupart des gauchers ont au début de leur existence un jumeau. Une grossesse sur dix démarre par des jumeaux. Et un enfant sur dix est gaucher.

Faites le calcul.

Pendant quelque temps, j'ai pensé que ma mère m'avait caché la mort de mon jumeau pour ne pas me faire de peine. Et puis, j'ai vu sur Internet que dans soixante-dix pour cent des grossesses qui démarrent par des jumeaux, un des bébés disparaît. Comme ça. Pouf ! Ça s'appelle le syndrome du jumeau qui disparaît. Généralement, les mères ne savent même pas qu'elles portaient deux bébés parce qu'elles le perdent au tout début de leur grossesse.

Attention, je ne suis pas en train de dire que tout ça est super important. Parce que même si mon jumeau avait survécu, je serais toujours l'enfant du milieu. J'aurais juste eu quelqu'un avec qui partager ce fardeau. Et qui m'aurait peut-être aussi dissuadée de faire allemand.

— Bien, ai-je déclaré en cessant d'observer mon reflet. Qu'est-ce que je suis censée faire ? Personne ne m'a jamais dit à l'école de ne pas ajouter de détails à mes dessins. En arts plastiques, j'ai le droit de rajouter ce que je veux.

— L'école, a fait Jack avec une espèce de grognement. L'école, oui, c'est ça.

Jack a une dent contre M. Esposito, le proviseur du lycée, depuis qu'il a exposé certains de ses tableaux dans la galerie marchande. Bien qu'il ne se soit jamais donné la peine d'aller les voir, M. Esposito n'a pas apprécié que Jack les présente au nom du lycée, parce qu'ils donnaient une fausse image de son établissement. Les toiles représentaient des ados coiffés d'une casquette de base-ball traînant sur le parking d'un 7-Eleven.

Les impressionnistes non plus n'étaient pas appréciés à leur époque, ai-je souvent rappelé à Jack quand il déprime à cause de cette histoire.

Quoi qu'il en soit, ils ne peuvent pas se sentir, M. Esposito et Jack. Je suis même sûre que si les parents de Jack ne faisaient pas partie des principaux membres donateurs de la caisse des anciens élèves, Jack aurait été renvoyé depuis longtemps.

— Il faut que tu trouves un moyen de lutter contre cette Susan Boone avant qu'elle t'ôte de l'esprit toute pensée créatrice, a repris Jack. Tu dois dessiner ce qui est dans ton cœur, Sam. Sinon, quel intérêt y aurait-il à dessiner ?

— Je croyais qu'on était censé dessiner ce qu'on connaissait, est intervenue Lucy d'une voix lasse tout en feuilletant son magazine.

— C'est *écrire* ce qu'on connaît, et dessiner ce qu'on voit. Tout le monde sait ça, a corrigé Rebecca.

— Tu as entendu ? a fait Jack en se tournant vers moi d'un air triomphant. C'est tellement insidieux que c'est entré dans la conscience d'une petite fille de onze ans.

Rebecca l'a foudroyé du regard. Rebecca a toujours été d'accord avec nos parents en ce qui concernait Jack.

— Hé ! s'est-elle écriée. Je ne suis pas petite !

Mais Jack l'a ignorée.

— Où serait Picasso s'il avait dessiné ce qu'il voyait ? s'est-il emporté. Où serait Pollock ? Mirò ? Tu dois rester fidèle à tes croyances, Sam. Écoute ton cœur, et si ton cœur te dit d'ajouter un ananas, ajoute un ananas. Ne laisse pas le système te dicter tes actes. Ne laisse pas les autres décider comment tu dois dessiner et ce que tu dois dessiner.

Je ne sais pas pourquoi, mais Jack dit toujours ce qu'il faut dire au bon moment. *Toujours*.

— Tu vas arrêter, alors ? a voulu savoir Catherine, plus tard ce soir-là, quand elle m'a appelée pour discuter du devoir de S.V.T.

La prof nous avait demandé de regarder un documentaire sur la dysmorphophobie, sur la Chaîne de l'Éducation. La dysmorphophobie est une maladie qui touche des gens qui, comme Michael Jackson, pensent qu'ils sont physiquement monstrueux quand, en réalité, ils ne le sont pas du tout. Par exemple, dans le documentaire, ils montraient un homme qui détestait son nez. Eh bien, il se l'était entaillé avec un couteau, puis avait retiré l'os du cartilage et mis à la place un os de poulet.

Ce qui prouve que, si on considère que quelque chose ne va pas dans sa vie, on peut trouver pire, bien pire.

— Je ne sais pas, ai-je répondu à la question de

Catherine. J'aimerais bien. De toute façon, ils sont tous nuls dans ce cours.

— Et le garçon dont tu m'as parlé ? Il n'est pas mignon ?

J'ai repensé à David, à son tee-shirt Save Ferris, à ses grandes mains et à ses grands pieds, à son commentaire sur mes Doc. Et au fait qu'il avait assisté à mon humiliation par Susan Boone.

— Si, il est mignon, mais pas autant que Jack.

Catherine a poussé un soupir.

— Ça m'étonnerait que ta mère accepte que tu n'y ailles plus, surtout si elle t'y a inscrite pour te punir de ta mauvaise moyenne en allemand. Tu ne crois pas ?

— En fait, ces cours sont censés me servir de leçon.

— Donc, tu ne peux pas arrêter. Qu'est-ce que tu vas faire, alors ?

— Je trouverai bien quelque chose.

En fait, j'avais déjà trouvé.

Les dix meilleures raisons pour lesquelles Jack ferait mieux de sortir avec moi plutôt qu'avec ma sœur :

10. Mon amour et ma connaissance de l'art. Lucy n'y connaît rien. Elle en est restée à ce qu'on nous avait demandé de faire avec des cure-pipes l'été où on est parties en colo toutes les deux.

9. Ayant l'âme d'une artiste, je suis mieux équipée qu'elle pour comprendre et gérer les sautes d'humeur de Jack. Lucy, elle, se contente de lui demander s'il n'a pas un peu fini.

8. Je n'exigerais jamais, comme Lucy, d'aller systématiquement voir tous les films commerciaux traitant de l'adolescence. Une âme sensible comme celle de Jack a besoin d'être nourrie par des films de réalisateurs indépendants, et pourquoi pas des films étrangers en version sous-titrée.

7. Idem pour les livres complètement débiles que Lucy fait lire à Jack. *Les Hommes viennent de Mars, les femmes de Vénus*, ce n'est pas une lecture appropriée pour un garçon comme Jack. *La Vierge et le gitan* de D.H. Lawrence, voilà qui stimulerait bien plus son esprit déjà brillant. D'accord, je n'ai pas lu *La Vierge et le gitan.* Mais j'ai l'impression que ce serait le genre d'ouvrage que Jack et moi, on adorerait. Par exemple, on pourrait le lire à tour de rôle, allongés sur une couverture au parc, comme tous les artistes dans les films. Dès que j'ai fini de relire *Fight Club*, je me mets à *La Vierge et au gitan*, histoire de vérifier qu'il s'agit bien d'un livre intellectuel.

6. Pour l'anniversaire de Jack, je ne lui offrirais pas un caleçon avec Tweety Bird dessus, comme Lucy l'année dernière. Je trouverais quelque chose de plus personnel et de plus romantique, comme des pinceaux en poils de martre ou bien un exemplaire relié cuir de *Roméo et Juliette* ou alors un bracelet de Gwen Stefani, enfin un truc dans le genre.

5. Si Jack arrivait en retard à un rendez-vous, je ne crierais pas, comme Lucy le fait systématiquement. Je comprendrais que les artistes n'ont pas la même notion du temps que tout le monde.

4. Je n'obligerais jamais Jack à m'accompagner à la

galerie marchande, si je devais y aller, bien entendu (chose que je ne fais jamais). À la place, je lui proposerais de visiter un musée. Et je ne parle pas du musée de l'espace et de l'aéronautique, ou de l'Institution Smithsonian où on peut voir les escarpins que portait Dorothée dans *Le Magicien d'Oz*. Non, je lui proposerais de visiter un vrai musée, qui expose de vraies œuvres d'art, comme le Hirschorn. On apporterait nos carnets de croquis et on s'assiérait sur un banc, dos à dos, pour dessiner nos tableaux préférés. Les touristes s'approcheraient et proposeraient de nous acheter nos esquisses, mais nous, on refuserait pour conserver nos dessins, symboles de notre immense amour.

3. Si on se mariait, Jack et moi, je n'exigerais pas une grande cérémonie à l'église avec une réception après au country club, comme Lucy le ferait à tous les coups. Jack et moi, on se marierait pieds nus dans les bois, près de Walden Pond, où tant d'âmes d'artistes sont allées chercher l'inspiration.

Et pour notre lune de miel, au lieu d'aller aux Bermudes, on irait à Paris et on prendrait une chambre sous les toits.

2. Quand il viendrait me rendre visite, je ne lirais pas mon journal pendant qu'il mange des bis-

cuits, assis à la table de notre cuisine. J'aurais avec lui des conversations animées, chaleureuses et intellectuelles sur l'art et la littérature.

Mais la principale raison pour laquelle Jack ferait mieux de sortir avec moi qu'avec Lucy, c'est :

1. Que je lui apporterais tout le soutien dont il a besoin, puisque je sais ce que c'est d'être torturé par le poids de son propre génie.

5

Heureusement, il pleuvait le jeudi quand Theresa m'a conduite à mon cours de dessin. Ce qui signifiait que ses chances de trouver une place pour se garer, puis d'attraper sur la banquette arrière un parapluie, de sortir de la voiture et enfin de m'accompagner jusqu'à la porte de l'atelier étaient quasi nulles.

Du coup, elle s'est arrêtée en plein milieu de Connecticut Avenue – provoquant un concert de klaxons – et m'a dit :

— Si tu n'es pas là à cinq heures et demie pile, gare à toi ! Tu as compris ? Gare à toi !

— O.K.

— Et je parle sérieusement, Samantha Madison. Cinq heures et demie tapantes. Et si je suis obligée de me garer en double file pour venir te chercher, c'est toi qui paieras l'amende !

— O.K., ai-je répété en sortant sous une pluie battante. À tout à l'heure !

J'ai refermé la portière et j'ai couru jusqu'à l'immeuble de Susan Boone. Sauf que, une fois dans le hall, je n'ai pas grimpé l'étroit escalier. N'oublions pas que je devais lutter contre le système.

Et puis, j'avais gardé un très mauvais souvenir du dernier cours. Est-ce que je pouvais décemment me présenter devant Susan Boone, l'air de rien ?

La réponse était évidemment non. Non, je n'irais pas m'exposer à une seconde humiliation.

À la place, j'ai attendu quelques minutes, toute dégoulinante de pluie, en m'efforçant de ne pas culpabiliser. Si d'un côté, en boycottant le cours de Susan Boone, je choisissais le camp de l'opposition – après tout, n'étais-je pas une rebelle ? –, de l'autre, je gaspillais l'argent durement gagné par mes parents. Ils payaient en effet une fortune pour ces leçons de dessin. En fait, Susan Boone était très connue. Connue pour quoi, on se le demande, mais toujours est-il que ses cours valaient les yeux de la tête.

Cela dit, des trois enfants Madison, je suis celle qui coûte le moins cher. Je parle très sérieusement. Nos parents dépensent des mille et des cents pour Lucy. Tous les mois, il lui faut de nouveaux habits, de nouveaux pompons, un nouvel appareil d'orthodontie, de nouvelles séances chez le dermato, bref, n'importe quoi pour maintenir son rang.

Quant à Rebecca, les seuls frais de scolarité à Horizon doivent égaler le produit national brut d'un petit pays sous-développé.

À combien je reviens par mois à mes parents ? Rien. Rien du tout, à part les frais d'inscription au lycée, évidemment. Je suis censée porter les vieux soutiens-gorge de ma sœur, non ? Et je n'ai même pas eu besoin de renouveler ma garde-robe : j'ai teint tous mes vêtements en noir.

Finalement, je suis plutôt une bonne affaire. Je ne mange même pas beaucoup, puisque je n'aime quasiment rien à part les hamburgers, les baguettes de la Dame au Pain et les desserts.

Pourquoi culpabiliser, dans ce cas ? C'était ridicule.

Mais alors que j'attendais dans le hall, l'odeur de l'essence de térébenthine m'a transportée, et en entendant la douce mélodie qui s'échappait de l'atelier, entrecoupée des cris de Joe, j'ai eu un pincement au cœur. J'éprouvais soudain l'étrange envie de monter l'escalier, de m'asseoir et de dessiner.

Et puis, je me suis rappelé comment Susan Boone m'avait humiliée. Devant ce David, en plus ! Certes, il n'était pas aussi mignon que Jack, mais c'était un garçon ! Un garçon qui aimait Save Ferris ! Et qui appréciait la façon dont j'avais customisé mes Doc !

Conclusion : je ne monterai pas. J'étais une rebelle. Je m'opposais au système.

J'ai encore attendu un peu en croisant les doigts pour qu'aucun élève de Susan Boone ne surgisse et me dise : « Oh, salut, Sam ! Tu ne montes pas ? »

– comme s'ils allaient se rappeler mon nom. Puis j'ai ouvert prudemment la porte et j'ai regardé dehors.

Theresa était partie. Je ne risquais plus rien. Je pouvais sortir.

Je suis d'abord allée chez Capitol Cookies. Impossible de l'éviter. La boutique avait l'air si accueillante, surtout sous cette pluie, et il me restait un dollar soixante-huit cents, le prix d'un brownie. Quand le marchand me l'a tendu, il était encore tout chaud. Je l'ai glissé dans la poche de ma parka. On n'a pas le droit de manger chez Static.

Ils ne passaient pas Garbage, ce jour-là, mais les Donnas. Ce n'est pas du ska, mais c'est tout à fait acceptable. Je me suis dirigée vers le coin du magasin où se trouvent les écouteurs, et pendant une demi-heure j'ai passé en boucle le CD de Less Than Jake. Je ne pouvais pas me l'offrir, ma mère refuse que je dépense mon argent de poche en CD.

Tout en écoutant Less Than Jake, je picorais des morceaux de brownie en me convainquant que je ne faisais rien de mal. En luttant ainsi contre le système, je veux dire. Regardez Catherine : pendant des années, ses parents l'ont obligée à aller au catéchisme. Comme elle n'a, comme moi, que deux ans de différence avec ses frères, aucun des trois enfants Salazar n'est dans la même classe. Résultat, Catherine a appris cette année seulement que Marco et Javier attendaient le départ de leur mère pour se rendre, non pas au catéchisme, mais au Beltway Billards, qui proposait toutes sortes de jeux d'arcade. Elle l'a découvert un jour où, libérée plus tôt de son cours, elle est allée attendre ses frères devant la porte de leur salle. Dont ils ne sont jamais ressortis.

Bref, pendant des années, Catherine est restée sagement assise à écouter quelqu'un lui expliquer comment résister à la tentation pendant que ses frères amélioraient leur score à Super Mario.

Que faisait Catherine maintenant ? Elle disait au revoir à sa mère après qu'elle l'avait déposée en voiture devant l'église et, comme Marco et Javier, elle attendait qu'elle ait passé le coin de la rue pour se rendre au Beltway Billards, où elle travaillait sa géométrie à la lueur de Delta Force.

Est-ce qu'elle culpabilisait ? Non. Pourquoi ? Parce que, m'expliquait-elle, si le Seigneur était vraiment miséricordieux, comme on le lui avait appris au catéchisme, il comprendrait qu'elle a besoin de s'améliorer dans cette matière, sinon sa note ne serait pas suffisante pour être acceptée dans l'université de son choix.

Pourquoi, dans ce cas, devrais-je culpabiliser d'avoir séché mon cours de dessin ? Après tout, il ne s'agissait que de dessin. Catherine, elle, c'était Dieu qu'elle séchait.

Et puis, je suis sûre que si mes parents l'apprenaient, ils se diraient que je n'ai agi de la sorte que pour préserver mon intégrité en tant qu'artiste. Oui, c'est ça qu'ils se diraient. Enfin, peut-être. Un jour où ils seraient de bonne humeur, parce qu'aucun pesticide n'a été découvert dans les réserves d'eau d'une ville du Middle West ou qu'il n'y a pas eu trop de spéculations dans l'économie de l'Afrique du Nord.

Si les vendeurs de chez Static trouvaient bizarre qu'une fille de quinze ans, aux cheveux roux et vêtue de noir des pieds à la tête, passe près de deux heures à écouter des CD sans en acheter, ils n'en ont rien dit. En même temps, le type à la caisse, avec une coiffure punk dont j'ai toujours rêvé mais que je n'ai jamais eu le courage de me faire, avait l'air trop occupé à flirter avec un autre vendeur, un garçon au pantalon à carreaux et au tee-shirt Le Tigre, pour s'intéresser à moi.

Les autres clients non plus ne me prêtaient pas attention. La plupart avaient une tête d'étudiant qui préfèrent être là qu'à la fac. Certains étaient peut-être même encore au lycée. Le seul à être plus âgé – il devait avoir une trentaine d'années – portait un treillis et un sac marin. Il est resté pendant un moment à côté de moi à écouter Billy Joel. Il n'arrêtait pas de se repasser *Uptown Girl*. Personnellement, je ne comprenais pas qu'un magasin comme Static vende des disques de Billy Joel. Mon père est fan – il le met tout le temps quand il conduit, ce qui finit par être agaçant au bout d'un moment –, mais il écoute quand même autre chose que *Uptown Girl*.

J'ai fini mon cookie à la moitié du second album des Spivalves. Comme il ne me restait plus que des miettes, j'ai pensé retourner chez Capitol Cookies pour m'en racheter un et je me suis rappelé que je n'avais plus d'argent. En plus, il était presque cinq heures et demie. Theresa n'allait pas tarder.

J'ai remonté ma capuche et je suis sortie. Il pleuvait moins, mais je me suis dit qu'avec ma capuche, aucun élève de Susan Boone ne me reconnaîtrait et ne me dirait : « Sam ? Mais où étais-tu ? »

Dans l'hypothèse où je leur aurais manqué, évidemment.

La nuit était tombée. Toutes les voitures roulaient phares allumés. Il y avait beaucoup de circulation ; c'était la sortie des bureaux et les gens se dépêchaient de rentrer chez eux.

Je suis allée attendre Theresa au bord du trottoir, en face de l'église de scientologie. Tandis que je surveillais les voitures, j'ai eu brusquement pitié de moi. J'étais là, à quinze ans, sans petit ami, incomprise, rejetée de tous, à guetter ma nounou sous la pluie après avoir séché mon cours de dessin parce que je ne supportais pas la critique. Que se passerait-il si, une fois adulte, je me lançais dans le business des portraits de stars, et que ça ne marche pas comme prévu ? Est-ce que je renoncerais ? Est-ce que j'irais me cacher chez Static. Autant y aller tout de suite et leur demander une place de vendeuse, ça simplifierait les choses. Cela dit, ce n'était peut-être pas une si mauvaise idée. Je suis sûre que les vendeurs avaient des réductions sur les CD.

Alors que je me reprochais de ne pas avoir plus de

cran, le fan de Billy Joel est sorti de chez Static puis est venu se poster à côté de moi. Même si le feu était passé au rouge, il ne semblait pas avoir l'intention de traverser. Je l'ai observé du coin de l'œil. Il tripatouillait quelque chose sous son poncho de pluie, dont les motifs évoquaient les tenues de camouflage des militaires. Est-ce que c'était un voleur à l'étalage ? Les vendeurs de Static avaient créé ce qu'ils appelaient le Mur de la Honte, sur lequel ils affichaient des Polaroïd de gens qui avaient essayé de voler des disques. Avec sa drôle d'allure, ce type aurait pu figurer en tête de liste des candidats au Mur de la Honte.

Je me faisais cette réflexion quand des gyrophares ont brusquement scintillé dans la nuit et sous la pluie.

« Oh, oh, ai-je aussitôt pensé. M. Uptown Girl va se faire arrêter. »

Raté ! Il ne s'agissait pas de la police. C'était un cortège présidentiel. Une voiture noire, équipée de feux clignotants sur le toit, roulait en tête. Venait ensuite une seconde voiture noire. La limousine du président suivait, et plusieurs véhicules, munis eux aussi de gyrophares, fermaient le convoi.

Au lieu d'être tout excitée à l'idée de voir le président – même si on ne le voit pas vraiment à cause des vitres teintées de sa limousine –, j'ai lâché un soupir.

— Flûte ! ai-je maugréé.

Theresa devait sans doute être bloquée derrière le convoi. Non seulement elle allait être d'une humeur de chien, mais David ne manquerait pas de m'apercevoir en sortant de chez Susan Boone. À tous les coups, il penserait que je suis vraiment trop bizarre et ne m'adresserait plus jamais la parole. Non que ça m'embêtait, mais c'était gentil de sa part d'avoir remarqué mes Doc. Il était pratiquement le seul.

Quand on vit à Washington, D.C., voir le président passer en voiture, ce n'est pas si exceptionnel.

Sauf qu'aujourd'hui, un événement exceptionnel s'est produit.

Le premier véhicule du convoi s'est arrêté pile à ma hauteur, puis le chauffeur a coupé le contact. Oui, il a coupé le contact.

La seconde voiture l'a imité, puis la limousine, etc. La circulation tout le long de Connecticut Avenue était totalement paralysée. Des types munis d'oreillettes ont alors bondi des véhicules et se sont précipités vers la limousine.

À mon grand étonnement, le président des États-Unis en personne en est sorti et s'est dirigé vers Capitol Cookies, une armée d'agents des services de sécurité autour de lui avec des parapluies et des talkies-walkies à la main !

Je ne plaisante pas. Le président des États-Unis d'Amérique venait d'entrer le plus naturellement du monde chez Capitol Cookies, comme s'il se rendait là tous les jours.

Je ne savais pas que notre président aimait les

cookies de chez Capitol Cookies. Bon, d'accord, ils sont bons, mais ce ne sont pas non plus les meilleurs.

Ne pensez-vous pas que si vous étiez le président des États-Unis, vous pourriez obtenir du patron de Capitol Cookies de vous faire livrer votre ration quotidienne de cookies afin de ne pas être obligé de sortir de votre limousine sous la pluie ? Moi, si je tenais une pâtisserie et que je découvre que le premier homme du pays aime mes gâteaux, je ferais en sorte qu'il n'en manque jamais.

D'un autre côté, le patron de Capitol Cookies devait sans doute préférer qu'on voie le président entrer chez lui. C'était la meilleure publicité dont il pouvait rêver, bien meilleure qu'en faire livrer à la Maison Blanche.

Tout à coup, alors que les feux clignotants de la voiture garée à ma hauteur flashaient devant moi, j'ai vu M. Uptown Girl rejeter son poncho en arrière.

Et j'ai vu que ce qu'il cachait en dessous n'avait rien à voir avec des CD. C'était un énorme revolver, qu'il a pointé en direction de la porte de Capitol Cookies... d'où sortait le président, ses cookies à la main.

Je ne suis pas ce qu'on appelle quelqu'un de courageux. Au lycée, je prends la défense des élèves dont on se moque seulement parce que mon séjour au Maroc m'a fait comprendre ce que c'est d'être la risée de tous.

Mais ça ne veut pas dire pour autant que je suis du genre à m'exposer au danger sans penser à ma propre sécurité d'abord. La dernière fois que je me suis mise dans une situation difficile, c'est quand je me suis battue avec Lucy pour récupérer la télécommande.

Et, de toute évidence, je déteste la confrontation. D'accord, je m'étais opposée au nom de la pensée créatrice en boycottant le cours de Susan Boone. Mais en vérité, c'est surtout parce que j'avais trop honte d'y retourner après mon humiliation de la dernière fois.

Mais bon. Ce que j'ai fait quand j'ai vu le revolver ne me ressemble tellement pas qu'on aurait dit que quelqu'un d'autre s'était emparé de mon corps. Tout ce que je sais, c'est qu'à un moment je regardais l'arme que M. Uptown Girl pointait vers le président...

... et que l'instant d'après, je lui sautais dessus.

6

Vous savez quoi ? Si vous vous jetez sur un soi-disant assassin et qu'il ne s'y attende pas, vous pouvez lui faire rater sa cible. Résultat, la balle que M. Uptown Girl destinait au président s'est perdue dans la stratosphère et n'a blessé personne.

Autre chose arrive aussi quand vous sautez sur le dos d'un homme armé. Comme il est surpris, il perd l'équilibre, tombe en arrière et vous fait tomber à votre tour. Vous êtes sonnée, votre parka remonte, l'eau de pluie traverse votre pantalon et vous êtes trempée.

Sans parler du fait que le type a atterri sur votre bras droit et qu'au même moment, vous avez entendu un craquement. Vous avez super mal et vous vous dites : « Est-ce que c'est ce que je pense ? »

Mais vous n'avez pas trop le temps d'y réfléchir car

vous êtes trop occupée à empêcher le gars de tirer une deuxième fois, ce que vous faites en hurlant :

— Il est armé ! Il est armé !

Même si, tout le monde sait alors déjà que le gars est armé, puisque le premier coup de feu n'est pas passé inaperçu, ça marche quand même et, en l'espace de quelques secondes, une vingtaine d'agents des services de sécurité vous encerclent et braquent leurs armes sur vous en criant : « Pas un geste ! »

Je ne me le suis pas fait dire deux fois, vous pouvez me croire.

Après avoir relevé M. Uptown Girl – il était temps, il pesait assez lourd –, c'est moi qu'on a relevée. Quelqu'un a tiré sur mon bras, le même bras sur lequel avait atterri M. Uptown Girl, et j'ai poussé un hurlement de douleur. Sauf que personne ne m'a entendue. Autour de moi, les agents des services de sécurité parlaient dans leurs talkies-walkies et disaient des choses comme : « Aigle sécurisé. Je répète, aigle sécurisé. »

Juste après, j'ai entendu des sirènes. Les clients des restaurants et des magasins voisins étaient tous sortis sur le trottoir pour voir ce qui se passait.

Et tout à coup, des voitures de police et des ambulances ont surgi de nulle part et ont pilé à quelques mètres de nous.

J'avais l'impression de jouer dans un film avec Bruce Willis.

Puis, l'un des agents des services de sécurité s'est mis à fouiller dans mon sac à dos tandis qu'un autre me palpait les chevilles – comme si je pouvais avoir fixé à mes jambes un couteau ou une arme quelconque –, et qu'un troisième retournait les poches de ma parka sans m'avoir demandé la permission (bien fait pour lui, il s'est retrouvé avec plein de miettes de cookies dans les mains).

Celui qui me palpait les chevilles s'est levé et m'a tiré par le bras.

— Aïe ! ai-je crié à nouveau, mais plus fort.

— Elle n'est pas armée, a déclaré celui qui s'occupait de mon sac à dos.

— Évidemment que je ne suis pas armée ! ai-je vociféré. Je ne suis qu'en seconde !

Ce qui était totalement absurde puisqu'il existe des élèves de seconde qui sont armés. Sauf qu'ils ne vont pas dans mon lycée. En vérité, je n'arrivais plus très bien à penser correctement. Je pleurais trop pour ça. Mais après tout, vous ne pleureriez pas, vous, si :

a) vous étiez trempé

b) vous aviez vraisemblablement le bras cassé – ce qui ne craignait pas trop pour moi vu que c'était le bras droit et que je suis gauchère. Conclusion, je pourrais continuer à dessiner, et j'avais une bonne excuse pour ne pas participer au tournoi de volley-ball, organisé par le prof de gym la semaine prochaine –, mais j'avais quand même super mal.

c) des gens vous hurlaient dessus sans que vous compreniez un mot dans la mesure où M. Uptown

Girl avait tiré si près de vos oreilles qu'il vous avait sans doute provoqué une surdité à vie.

d) vous vous retrouviez avec une vingtaine de revolvers braqués sur vous. Même un seul, en fait, suffit.

e) avec ce qui venait de se passer, vos parents n'allaient pas manquer de découvrir que vous aviez séché votre cours de dessin ?

Si vous voulez mon avis, n'importe laquelle de ces raisons était suffisante pour faire craquer qui que ce soit. Alors quand on a les *cinq* réunies, imaginez un peu.

Un quatrième agent s'est approché. Il s'est penché pour me parler, jusqu'à ce que son visage soit à la hauteur du mien. Je ne sais pas pourquoi, mais j'ai trouvé ça assez attentionné de sa part. Du coup, il m'a paru moins effrayant que les autres.

— Tu vas devoir nous suivre, jeune fille, m'a-t-il dit. On a des questions à te poser sur ton ami.

C'est alors que j'ai compris : ils pensaient que M. Uptown Girl et moi, on était complices ! Ils pensaient qu'on avait cherché à tuer le président tous les deux !

— Ce n'est pas mon ami ! me suis-je exclamée.

Je ne pleurais presque plus à ce moment-là. Je braillais et je m'en fichais. Il pleuvait, j'étais trempée, mon bras me faisait atrocement mal, mes oreilles bourdonnaient et les services de sécurité me prenaient pour une espèce de terroriste internationale.

Alors, oui, je braillais.

— Je ne le connais pas ! C'est la première fois que je le vois ! ai-je hurlé entre deux sanglots. Il a sorti son revolver, et quand j'ai compris qu'il allait tuer le président, j'ai sauté sur lui, il est tombé sur mon bras, j'ai super mal et je voudrais rentrer chez moi !

C'était très gênant. Je pleurais comme un bébé. Pire qu'un bébé. Je pleurais comme Lucy le jour où l'orthodontiste lui a annoncé qu'elle devrait garder ses bagues pendant six mois encore.

Il s'est alors passé un truc très étonnant. Le type des services de sécurité m'a prise par les épaules. Il a dit quelque chose à ses collègues puis m'a conduite vers une ambulance où attendaient des hommes en blouse blanche. Ils ont ouvert la porte arrière et on est montés, l'agent et moi.

Il faisait bon à l'intérieur. Je me suis assise sur une petite banquette, à l'abri du froid et de la pluie. On entendait à peine le bruit des sirènes. Les infirmiers m'ont donné une couverture et m'ont dit de retirer ma parka. Tout le monde se montrait d'un seul coup tellement prévenant avec moi que j'ai arrêté de pleurer.

Allez, me suis-je dit, ce n'est pas si terrible que ça. Tout va bien se passer maintenant.

Enfin, sauf que mes parents allaient découvrir que j'avais séché. Ça, ça n'allait pas bien se passer du tout.

Mais qui sait, peut-être ne l'apprendraient-ils jamais ? Peut-être que l'agent des services de sécurité me laisserait partir une fois qu'il aurait compris que je n'appartenais à aucun groupe terroriste. Theresa était probablement encore bloquée dans les embouteillages. Lorsqu'elle arriverait enfin, tout le monde se serait déjà dispersé, je monterais dans la voiture, et quand elle me demanderait : « Qu'est-ce que vous avez fait, aujourd'hui ? », je lui répondrais : « Pas grand-chose. » Ce qui ne serait même pas un mensonge.

L'un des infirmiers m'a demandé où j'étais blessée. Même si j'avais un peu honte de me comporter comme un bébé à cause de mon bras, étant donné la gravité de la situation – il s'agissait quand même d'un attentat contre le président –, j'ai montré mon poignet. Quand j'ai vu qu'il avait doublé de volume, ça m'a rassurée. Au moins, je n'avais pas pleuré pour rien.

Tandis que l'infirmier m'examinait, j'ai jeté un coup d'œil au type des services de sécurité. Il remplissait une feuille sur laquelle j'ai reconnu mon nom (il l'avait eu grâce à ma carte de lycée qui se trouvait dans mon sac à dos). Je ne voulais pas le déranger, mais comme j'avais absolument besoin de savoir combien de temps tout cela allait durer, j'ai dit :

— Euh..., s'il vous plaît...

— Oui, ma puce, a-t-il fait en levant les yeux de la feuille.

Personne ne m'appelle « ma puce », pas même ma mère. Elle a arrêté au Maroc, quand elle m'a surprise en train de jeter toutes les cartes de crédit de mon père dans la cuvette des W.-C. Je voulais me venger parce qu'il nous obligeait à vivre dans un pays étranger dont je ne parlais pas la langue.

Bref, le « ma puce » m'a complètement déstabilisée, et je n'ai pas osé lui demander combien de temps j'allais devoir encore rester là. Ça n'aurait pas été très gentil de ma part. Après tout, il ne faisait que son travail. Du coup, j'ai réfléchi un quart de secondes, et j'ai dit :

— Le président va bien ?

L'agent des services de sécurité m'a souri et a répondu :

— Oui, il va bien. Et grâce à toi.

— Oh, ai-je fait. Super. Dans ce cas, vous croyez que je pourrai partir bientôt ?

Les infirmiers se sont regardés d'un air amusé.

— Pas avec un bras comme ça, a déclaré l'un d'eux. Tu as le poignet cassé. Il faut te faire une radio pour voir si la fracture n'est pas trop vilaine, mais je suis prêt à parier que ça va se terminer par un plâtre que tes fans vont pouvoir signer.

Mes fans ? De quoi parlait-il ?

Et je ne pouvais pas être plâtrée ! Si on me plâtrait le bras, mes parents me demanderaient comment je m'étais cassé le poignet, et je serai obligée de leur dire la vérité !

À moins que... À moins que je mente et que je raconte que j'ai glissé. Oui, que j'avais glissé en descendant l'escalier de Susan Boone. Et s'ils lui posaient la question ?

Dans quel pétrin m'étais-je mise ?

— Je ne peux pas aller juste chez mon médecin demain ? ai-je suggéré, désespérée. J'ai beaucoup moins mal, vous savez.

Les infirmiers et l'agent m'ont observée comme si je délirais. D'accord, mon poignet était tellement enflé qu'il avait la taille de ma cuisse. Mais il ne me faisait pas si mal que cela. C'est-à-dire tant que je ne le bougeais pas.

— C'est juste parce que ma nounou doit venir me chercher, ai-je expliqué sans conviction. Si vous m'emmenez à l'hôpital et qu'elle ne me voie pas, elle va paniquer.

— Pourquoi ne me donnes-tu pas un numéro où je puisse joindre tes parents ? Parce que pour pouvoir te soigner correctement, il va falloir qu'on les contacte.

Quoi ? Ils sauront la vérité alors !

Mais est-ce que j'avais vraiment le choix ? Non.

— Écoutez, ai-je commencé. Peut-être que vous n'êtes pas obligé de tout leur raconter. Bien sûr, vous allez leur raconter ce qui est arrivé, mais vous pourriez peut-être passer sur le fait que j'ai séché mon cours de dessin et que je suis allée chez Static. Vous allez le faire, n'est-ce pas ? Ne pas leur dire que j'ai séché ? Sinon, j'aurais encore plus de problèmes que je n'en ai actuellement.

L'agent des services de sécurité a cligné plusieurs fois des yeux. Il ne comprenait visiblement rien à ce que je venais de lui dire. Un cours de dessin ? Static ?

Il a dû juger plus prudent de ne pas relever – il pensait peut-être qu'en tombant, je m'étais heurté la tête –, car il s'est contenté de répondre :

— On verra, on verra...

C'était mieux que rien. Du coup, je lui ai donné les numéros de téléphone de mes parents, j'ai fermé les yeux et j'ai appuyé ma tête contre la paroi de l'ambulance.

Oui, ça aurait pu être pire.

Par exemple, j'aurais pu me retrouver avec un os de poulet à la place du nez.

Les dix preuves selon lesquelles empêcher une balle d'atteindre la tête du président des États-Unis d'Amérique change votre vie :

10. L'ambulance où vous vous trouvez pour gagner l'hôpital est escortée par la police. Et quand je parle d'hôpital, je parle du George Washington, là où le président Reagan a été conduit quand il s'est fait tirer dessus.

9. Au lieu de vous arrêter, comme tout le monde, à la case « tri par les infirmières » qui, en fonction de votre état, vous remettent directement entre les mains d'un médecin ou vous font patienter dans la salle des urgences, vous êtes aussitôt admis et passez en chaise roulante devant les petits malfrats en sang, les futures mères en train d'accoucher et les gens avec un crayon dans l'œil, etc.

8. Où que vous vous rendiez dans l'enceinte du

George Washington Hospital, des hommes en costume noir munis de talkies-walkies vous suivent.

7. Quand on vous donne une blouse d'hôpital et que vous refusez de l'enfiler parce que le dos est ouvert, on vous en donne une deuxième, que vous pouvez porter ouverte devant afin d'être complètement couverte. Et vous êtes la seule patiente de tout l'hôpital à bénéficier de ce traitement.

6. Vous avez une chambre pour vous toute seule, avec deux policiers armés qui gardent la porte, même si vous ne vous êtes cassé que le poignet.

5. Quand le médecin vient vous examiner, il s'exclame : « C'est donc toi qui as sauvé le président ! »

4. Si vous répondez, mortifiée : « Je ne l'ai pas vraiment sauvé », il rétorque : « Ce n'est pas ce qu'on m'a dit. Tu es une héroïne nationale ! »

3. Quand il vous annonce que votre poignet est cassé à deux endroits et que vous allez devoir porter un plâtre pendant six semaines, il ne vous offre pas une sucette en guise de consolation, mais vous demande un autographe.

2. Pendant que vous attendez qu'on vous plâtre, vous allumez votre poste de télévision privé et vous découvrez que toutes les chaînes diffusent un bulletin d'information spécial. On vous explique alors qu'un attentat a été commis contre le président, mais qu'il a été déjoué grâce à l'acte héroïque d'un seul individu. Et vous reconnaissez alors la photo qui figure sur votre carte de lycée.

Celle où vous fermez les yeux et où vous êtes coiffée n'importe comment. Bref, celle que vous n'avez osé montrer à personne tellement vous aviez peur qu'on se moque de vous.

Mais la raison essentielle qui vous fait dire que votre vie ne sera plus jamais la même, c'est :

1. Que vous hurlez si fort en voyant cette horrible photo de vous qui s'affiche sur la télévision nationale qu'une trentaine d'agents des services de sécurité surgissent dans votre chambre, revolver au poing, et vous demandent si tout va bien.

7

À mon avis, je n'avais pas vraiment mesuré la portée de mon acte, même à ce moment-là.

Bien sûr, je savais que je m'étais jetée sur M. Uptown Girl pour l'empêcher de tirer dans la direction qu'il visait.

Mais je n'avais pas vraiment compris que j'avais sauvé la vie du président des États-Unis d'Amérique.

Je ne l'ai compris que lorsque mes parents sont arrivés à l'hôpital.

— Samantha ! a crié ma mère en se précipitant vers moi et en heurtant mon poignet pour lequel, je me permets de le préciser, personne ne m'avait proposé un cachet d'aspirine. On pourrait penser que la fille qui a sauvé la vie du président mériterait un calmant. Eh bien, non !

— Oh, mon Dieu ! a repris ma mère. On était tellement inquiets !

— Salut, maman, ai-je fait d'une toute petite voix
– de la voix qu'on prend quand on est sur le point de
défaillir.

Comme j'ignorais si mes parents étaient ou non au
courant pour Susan Boone, dans le doute, je m'étais
dit que s'ils pensaient que je souffrais atrocement, ils
passeraient peut-être l'éponge.

Apparemment, ils ne savaient rien.

— Samantha, Samantha, a répété ma mère en s'asseyant au bord du lit tout en écartant mes cheveux.
Comment te sens-tu ? Tu es sûre de n'être blessée
qu'au bras ? Tu n'as pas mal ailleurs ?

— Non, ai-je répondu. C'est juste le bras. Ça va,
je te promets.

Mais toujours de la même petite voix. Au cas où.

Je n'aurais pas dû me faire autant de soucis. Ils ne
se préoccupaient pas du tout de Susan Boone. Tout
ce qui leur importait, c'était que j'aille bien. Mon père
a même réussi à plaisanter. Enfin, un peu.

— Si tu voulais qu'on s'intéresse à toi, Sam, il suffisait de le dire. Tu n'étais pas obligée de te jeter sur
la trajectoire d'une balle.

Ha ! ha ! ha !

Après nous avoir accordé cinq minutes pour nos
retrouvailles, les types de la sécurité ont frappé à la
porte. Ils avaient des tas de questions à me poser, mais
comme j'étais mineure, ils ne pouvaient le faire sans
la présence de mes parents.

Voici un exemple des questions qu'ils m'ont posées :

Services de sécurité : Connais-tu l'homme qui était armé ?

Moi : Non, je ne le connais pas.

Services de sécurité : Est-ce qu'il t'a parlé ?

Moi : Non. Il ne m'a rien dit.

Services de sécurité : Rien du tout ? Tu es sûre qu'il ne t'a pas parlé quand il a tiré ?

Moi : Que voulez-vous qu'il me dise ?

Services de sécurité : Quelque chose comme : « Ça, c'est pour Margie . »

Moi : C'est qui, Margie ?

Services de sécurité : C'était juste un exemple. Il n'y a pas de Margie.

Moi : En tout cas, il ne m'a pas parlé.

Services de sécurité : As-tu remarqué quelque chose de bizarre chez lui ? Quelque chose qui aurait attiré ton attention, ou quelque chose de différent par rapport aux autres personnes présentes dans la rue, à ce moment-là.

Moi : Oui. Il avait une arme.

Services de sécurité : Et autre chose qu'une arme ?

Moi : Eh bien, il semblait être fan de *Uptown Girl*.

Et ainsi de suite. Pendant des heures. Des heures, j'ai bien dit. J'ai dû décrire ce qui s'était passé entre M. Uptown Girl et moi cinq cents fois au moins. À la fin, j'avais la voix rauque tellement j'étais épuisée.

— Écoutez, messieurs, est intervenu mon père. Je comprends que vous essayiez de découvrir le fin fond de cette affaire, mais notre fille a subi un traumatisme et a besoin de se reposer.

Les services de sécurité ont tout de suite acquiescé. Ils m'ont remerciée et sont partis... mais deux agents sont restés dans le couloir, près de la porte. C'est mon père qui me l'a raconté, quand il est revenu avec un hamburger, à la place du plateau-repas : l'hôpital proposait à dîner ce soir-là une espèce de ragoût avec des petits pois et des carottes.

Franchement, ils pourraient faire un effort. Déjà qu'on se sent mal quand on est hospitalisé, comment voulez-vous qu'on aille mieux si on vous sert ce genre de nourriture ?

En attendant, ça ne me plaisait pas trop de passer la nuit là, alors que je n'avais que le poignet cassé. Les types de la sécurité ont dû insister pour que je reste. Ils disaient que c'était plus prudent.

— Je ne vois pas pourquoi ? ai-je rétorqué. Vous avez bien arrêté le gars, non ?

Ils m'ont répondu que M. Uptown Girl (sauf qu'ils ne l'appelaient pas comme ça) invoquait son droit à ne parler qu'en présence de son avocat et qu'il pouvait tout à fait appartenir à une organisation terroriste qui allait chercher à se venger de moi pour avoir saboté leur projet d'assassinat.

En entendant ça, ma mère a paniqué et a appelé Theresa pour lui demander de verrouiller toutes les portes. Les deux agents l'ont aussitôt rassurée : des policiers étaient déjà sur place pour veiller à notre protection. J'ai découvert plus tard que leur mission consistait également à empêcher les hordes de journalistes de se presser sur notre perron. Ce qui contrariait ma sœur Lucy.

— C'est la poisse ! s'est-elle exclamée quand je l'ai eue au bout du fil, un peu avant minuit. Tout ce que je voulais, c'était donner aux reporters de MSNBC une photo de toi où tu es un peu plus à ton avantage, vu qu'ils n'arrêtent pas de diffuser la photo de ta carte de lycée. J'avais l'intention de leur passer la photo que grand-mère a prise à Noël – tu sais, celle où tu portes cette robe de chez Esprit, qui était super mignonne avant que tu ne la teignes en noir. Bref, quand j'ai ouvert la porte et que je suis sortie sur le perron avec la photo à la main, j'ai été éblouie par les flashs des appareils-photo. Les journalistes m'ont demandé si j'étais ta sœur et quel effet ça faisait d'être de la même famille qu'une héroïne nationale. Je m'apprêtais à leur répondre que c'était génial, mais deux types en costume noir m'ont poussée à l'intérieur, soi-disant pour me protéger. Tu parles ! Montrer cette photo de toi où tu es si horrible, c'est peut-être pour me protéger aussi ? Franchement, les gens vont penser que je suis apparentée à un monstre – ce à quoi tu ressembles sur cette photo, Sam, sans vouloir te vexer. Et crois-moi, ça ne fera de bien à personne.

C'était bon de savoir que même si pas mal de choses allaient changer dans ma vie, une au moins demeurerait identique : ma sœur Lucy.

Bref, j'ai passé la nuit à l'hôpital.

Je me suis tournée et retournée toute la nuit, incapable de trouver une position confortable. Normalement, je dors sur le côté, sauf que le côté sur lequel je dors, c'est celui où j'avais le plâtre. Et je n'arrivais pas à dormir sur mon plâtre, parce qu'il était dur et lourd, et que mon bras m'élançait lorsque j'appuyais dessus. Sans parler du fait que Manet me manquait. On pourrait trouver étrange que mon chien me manque étant donné qu'il est super poilu et qu'il ne sent pas très bon. Mais c'est la pure vérité.

Au moment où je commençais enfin à m'assoupir, ma mère – elle semblait n'avoir eu aucun problème à dormir dans le lit de camp, à côté de moi – s'est levée et a tiré les rideaux pour laisser entrer la lumière du soleil.

— Bonjour, ma belle endormie ! a-t-elle lancé.

Pour quelqu'un qui n'a pas réussi à fermer l'œil de la nuit et qui en plus a mal au bras, ce genre de remarque peut être irritant. Mais avant que je le lui fasse observer, elle s'est écriée en regardant par la fenêtre : « Mon Dieu ! »

J'ai aussitôt bondi de mon lit. Qu'est-ce qui avait bien pu provoquer une telle exclamation de sa part ? C'est alors que j'ai vu trois cents personnes environ debout sur le trottoir en face de l'hôpital, les yeux levés vers la fenêtre de ma chambre. Dès que je suis apparue, une immense clameur est montée. Elles se sont mises à agiter la main ou une banderole en criant...

Mon nom.

Oui, elles criaient mon nom.

On s'est regardées, ma mère et moi, bouche bée, puis on a regardé de nouveau dans la rue. Il y avait des camionnettes portant les logos des chaînes de télévision avec d'énormes antennes satellites sur le toit, des journalistes, un micro à la main, et des policiers un peu partout qui tentaient de contenir la foule venue manifestement dans l'espoir d'apercevoir la fille qui avait sauvé la vie du président.

Pour m'apercevoir, ils m'ont aperçue. Là-dessus, il n'y a pas de doute. Même si j'étais au troisième étage de l'hôpital. Peut-être est-ce à cause de mes deux blouses ou de ma touffe de cheveux ? Quoi qu'il en soit, ils m'ont vue.

— Tu devrais peut-être les saluer, a suggéré ma mère.

Comme ça me semblait être la seule chose à peu près raisonnable à faire, j'ai levé mon bras valide et j'ai agité la main.

De nouveaux cris et applaudissements ont retenti. J'ai recommencé, histoire de m'assurer que c'était bien pour moi. Je ne rêvais pas : ces gens m'applaudissaient. Moi. Samantha Madison, élève de seconde et grande spécialiste de portraits de stars.

Incroyable ! J'avais l'impression d'être... Elvis.

C'est après que j'ai salué la foule une seconde fois qu'on a frappé à la porte de la chambre.

— Ah, formidable, vous êtes réveillées, a dit une infirmière en entrant. C'est bien ce qu'on pensait quand on a entendu tous ces cris dehors, a-t-elle ajouté avec un sourire. Il y a quelques petits paquets qui sont arrivés pour vous. J'espère que ça ne vous dérange pas qu'on vous les apporte maintenant.

Et sans attendre une réponse de notre part, elle a ouvert la porte en grand. De jeunes élèves infirmières sont entrées les unes après les autres, un bouquet de fleurs à la main, jusqu'à ce que toutes les surfaces planes de ma chambre, y compris le sol, soient couvertes de roses, de marguerites, de tournesols, d'orchidées, d'œillets et de tas de fleurs que je ne connaissais pas.

Et il n'y avait pas que des fleurs ! Il y avait aussi des bouquets de ballons, une dizaine au moins, rouges, bleus, blancs, roses, en forme de cœur avec écrits dessus : *Merci*, *Prompt rétablissement*. Puis, ce sont des ours en peluche qu'on m'a apportés, une vingtaine, de toutes les tailles et de toutes les formes, avec des nœuds papillons et des messages qui disaient : *Tu es la meilleure !*

Je ne plaisante pas. Tandis qu'ils s'entassaient devant moi, j'ai pensé qu'il devait y avoir une erreur. Qui pouvait m'envoyer un ours avec inscrit dessus : *Tu es la meilleure*. Même pour rire.

Mais les cadeaux continuaient d'affluer. Les infirmières trouvaient ça apparemment très drôle. Les deux gars de la sécurité, aussi, vu leur large sourire.

Seule ma mère semblait aussi abasourdie que moi. Elle n'arrêtait pas d'aller d'un bouquet à un autre et de déchirer l'enveloppe avant de lire à voix haute le message qu'elle contenait :

Merci pour votre acte de bravoure, cordialement. Le ministre de la Justice.

L'Amérique a besoin de gens comme vous. Le maire du district de Columbia.

Pour un ange sur Terre, avec tous nos remerciements. Les habitants de Cleveland, Ohio.

Félicitations pour une telle démonstration de courage. Le Premier ministre du Canada.

Vous êtes un exemple pour nous tous... Le dalaï lama.

Le dalaï lama pensait que *j'étais* un exemple ? Il devait se tromper. Ou ne pas savoir la quantité de bœuf que j'avais mangée depuis ma naissance.

— Il y en a d'autres en bas, a déclaré l'une des jeunes infirmières.

Ma mère a levé les yeux de la carte qu'elle lisait. Elle m'avait été envoyée par l'empereur du Japon.

— D'autres..., a-t-elle répété.

— On n'a pas fini de les passer aux rayons X, nous a informés l'un des agents des services de sécurité.

— Aux rayons X ? Mais pourquoi ?

L'agent des services de sécurité a haussé les épaules.

— Au cas où il y aurait des rasoirs ou du poison.

— On n'est jamais trop prudents, a ajouté son collègue. Avec tous ces cinglés qui traînent.

À ce moment-là, ma mère semblait sur le point de défaillir. Adieu sa bonne mine !

— Ah, s'est-elle contentée de murmurer.

Mon père est arrivé juste après, avec Lucy, Rebecca et Theresa.

— Tu imagines dans quel état j'étais quand le policier m'a dit que je ne pouvais pas avancer parce que des coups de feu avaient été tirés ! s'est exclamée Theresa. J'ai pensé que tu étais morte !

Et sur ces paroles, elle m'a donné une tape sur la tête, histoire de me faire payer un peu de la frayeur que je lui avais causée.

Rebecca, elle, s'est montrée plus philosophe.

— Sam ne fait pas partie des gens qui risquent le plus de mourir de violence armée. Ce sont les hommes entre quinze et trente-quatre ans qui y sont le plus exposés. C'est pour ça que je ne me suis pas trop inquiétée.

Quant à Lucy, elle m'a fait signe de la suivre dans la salle de bains où elle a immédiatement fermé la porte à clé. Elle avait un besoin urgent de me voir... seule.

— Mauvaise nouvelle, a-t-elle annoncé, sur le même ton que lorsqu'elle s'adresse à son équipe de pompom girls. J'ai entendu le directeur de l'hôpital demander à papa quand tu serais prête pour la conférence de presse.

— La conférence de presse ? ai-je répété en m'affaissant sur le rebord de la baignoire, persuadée que j'allais m'évanouir. Tu me fais marcher ?

— Pas du tout, a répondu Lucy. Tu es une héroïne nationale. Tout le monde s'attend à ce que tu donnes une conférence de presse. Mais ne t'inquiète pas. Ta grande sœur Lucy s'occupe de tout.

Là-dessus, elle a renversé son sac de sport dans le lavabo. Vu le bruit, j'en ai conclu qu'elle avait emporté tous ses produits de beauté.

— Commençons par le commencement : tes cheveux, a-t-elle repris.

Avant de poursuivre, je tiens à préciser que je me suis laissé faire uniquement parce que je me sentais encore faible à cause de ma nuit blanche, de mon plâtre et de tout le reste. J'étais trop fatiguée pour me battre contre Lucy. Mais j'ai quand même crié une fois, sauf que les types de la sécurité n'ont pas surgi dans la salle de bains. Le bruit de la douche a dû couvrir ma voix.

Cela dit, il aurait fallu un commando spécial pour arrêter Lucy. N'oublions pas qu'elle attendait ce moment depuis le jour où je suis entrée dans la puberté. Cette fois, elle me tenait et j'étais totalement impuissante face à elle. Non seulement elle avait apporté toutes sortes de tenues mais aussi un attirail de soins qu'elle avait l'intention d'utiliser sur moi, coincée dans la cabine de douche, avec mon bras plâtré en l'air telle la branche d'un arbre.

— C'est du awapuhi, m'a-t-elle expliqué en versant un liquide vaguement fruité sur mes cheveux. De l'extrait de gingembre hawaiien. Shampouine-toi avec. Et ça, c'est un gommage pour le corps. À l'abricot.

— Lucy ! ai-je hurlé, de l'awapuhi me coulant dans les yeux. Qu'est-ce que tu cherches à faire ?

— Te sauver, a répondu Lucy. Tu devrais me remercier au lieu de crier.

— Te remercier ? Pour quoi ? Pour perdre la vue à cause de ton extrait de gingembre hawaiien ?

— Non. Pour essayer de te transformer en un être humain. As-tu idée de ce que je ressens quand mes amis passent à la maison et me demandent : « C'est vraiment ta sœur ? Qu'est-ce qui lui est arrivé ? Elle fait partie d'une secte ou quoi ? »

Lorsque j'ai ouvert la bouche pour protester et dire que c'était totalement injuste, Lucy en a profité pour appuyer sur le bouton de son flacon d'Aquafresh. Et tandis que je m'étouffais à moitié, elle a poursuivi :

— Utilise aussi ce conditionneur. Les palefreniers s'en servent pour lisser le pelage des chevaux avant une course.

— Je ne suis pas un cheval !

— Je sais, mais tu as vraiment besoin de ce soin, Sam. Dis-toi que c'est une intervention... une intervention d'urgence pour t'embellir.

Et, sans me demander mon avis, elle m'a aspergée avec son produit.

— Rince bien et recommence, s'il te plaît, a-t-elle ajouté.

Quand elle a enfin terminé, ma peau était nettoyée, gommée, exfoliée et mes cheveux brushés.

Je dois admettre que le résultat m'a surprise. Son commentaire sur la nécessité d'une intervention d'urgence m'avait vexée. Mais sous sa surveillance attentive – et son sèche-cheveux portatif – mes cheveux n'évoquaient plus le cuivre, et au lieu de se dresser sur le haut de mon crâne, ils retombaient en légères boucles sur mes épaules. Quant à mes taches de rousseur, si elles n'avaient pas tout à fait disparu, Lucy s'était débrouillée pour les atténuer.

J'ai accepté l'extrait de gingembre hawaïen, le

gommage à l'abricot et le conditionneur pour chevaux. J'ai même supporté le mascara, le fond de teint et le brillant à lèvres. Mais j'ai mis le holà quand Lucy a sorti de son sac de sport un chemisier bleu clair et une jupe assortie.

— Jamais, ai-je dit, aussi catégoriquement que possible pour quelqu'un vêtu d'une seule serviette de toilette. Je veux bien que tu me maquilles mais il est hors de question que je m'habille comme toi.

— Tu n'as pas le choix, Sam, a rétorqué Lucy. Tous tes vêtements sont noirs. Tu ne peux pas te présenter devant l'Amérique vêtue de noir. Les gens vont penser que tu vénères Satan. Pour une fois dans ta vie, tu vas donc t'habiller comme quelqu'un de normal et tu vas trouver ça agréable.

Sur ce, elle m'a bondi dessus. J'aimerais juste faire remarquer qu'elle bénéficiait d'un net avantage sur moi car :

a) elle mesure cinq centimètres et pèse cinq kilos de plus que moi

b) elle n'était pas gênée par un bras dans le plâtre

c) elle n'avait pas à se soucier de perdre la serviette de toilette qui la couvrait

d) elle a derrière elle des années de lecture assidue de magazines féminins, lecture qui lui confère style, certitude et force naturelle.

C'est pour toutes ces raisons-là que j'ai renoncé à

lutter. Et puis, peut-être aussi parce que Lucy n'avait pris aucune de mes affaires. Celles que je portais la veille étaient encore entre les mains des services de sécurité qui les analysaient après avoir trouvé dessus des traces de poudre à canon provenant du revolver de M. Uptown Girl.

Résultat, lorsque Lucy m'a annoncé qu'elle avait terminé, je portais ses vêtements, son maquillage et ses soins capillaires. Je n'avais plus rien de moi. Plus rien du tout.

Mais ça allait. Franchement, ça allait. Sans doute parce que je n'étais pas vraiment moi-même, à cause de ma nuit blanche, de la foule dans la rue, des fleurs et des ours en peluche, et aussi de l'awapuhi et du conditionneur pour chevaux.

En fait, quand je suis sortie de la salle de bains, je ne savais plus très bien où j'en étais. Pire, je ne pensais pas que les choses puissent être plus bizarres.

Et c'est à ce moment-là que ma mère, qui se trémoussait nerveusement au milieu des fleurs et des ballons, a dit :

— Euh... Samantha, il y a quelqu'un qui voudrait te voir.

J'ai tourné la tête et je me suis retrouvée face au président des États-Unis.

8

Même si j'ai vécu à Washington, D.C. toute ma vie – à l'exception de l'année passée au Maroc –, je n'ai quasiment jamais vu le président des États-Unis en chair et en os.

Oh, bien sûr, je l'ai aperçu plein de fois dans des cortèges, et je l'ai vu à la télé. Et devant chez Capitol Cookies, aussi. Mais jamais d'aussi près.

Du coup, de le voir, là, dans ma chambre d'hôpital, avec mes parents, Lucy, Rebecca, Theresa, les deux gars des services de sécurité, les fleurs, les ballons et tout le reste... ça m'a fait un choc.

Sans compter que sa femme l'accompagnait, la première dame des États-Unis. Elle, je ne l'avais jamais vue. En vrai, je veux dire. Je l'avais vue à la télé, en couverture de magazines, mais jamais comme ça, devant moi.

Eh bien, je peux vous assurer que de près, le président et sa femme paraissent plus grands qu'à la télé. Je sais, ma réflexion est idiote, inutile de me le préciser. Ils avaient l'air aussi... plus vieux, et plus réels. Par exemple, je voyais leurs rides.

— Ainsi, c'est vous qui m'avez sauvé la vie.

Voilà ce que m'a dit le président des États-Unis d'Amérique. C'étaient les premiers mots qu'il m'adressait, de cette voix grave que je suis obligée d'écouter quand je regarde les *Simpsons* et que mes parents me demandent de changer de chaîne pour mettre les infos.

Et qu'est-ce que j'ai répondu ? Qu'est-ce que j'ai dit au président des États-Unis d'Amérique quand ça a été mon tour de parler ?

J'ai dit : « Euh... »

Derrière moi, j'ai entendu Lucy pousser un soupir de satisfaction. À tous les coups parce qu'elle avait réussi ma transformation à temps. Quelques minutes plus tôt, j'aurais encore eu ma tête des matins après une mauvaise nuit.

Apparemment, ça ne la gênait pas que je passe pour une idiote. Tout ce qui l'intéressait, c'est que je n'aie pas l'air d'en être une.

— J'aimerais savoir, a repris le président, s'il me serait possible de serrer la main de la fille la plus courageuse au monde.

Et sans me demander mon avis, il m'a tendu sa main.

Je l'ai regardée fixement. Non pas parce qu'elle

était différente de la main de n'importe qui d'autre. Car elle ne l'était pas. Enfin, si, d'une certaine manière, puisque qu'elle appartenait au président des États-Unis. Mais ce n'est pas pour ça que je la regardais. Je la regardais parce que je pensais à ce qu'il venait de dire : que j'étais la fille la plus courageuse au monde.

Curieusement, même si les messages que ma mère m'avait lus disaient tous plus ou moins la même chose, c'était la première fois que j'y réfléchissais vraiment. Au fait d'avoir été courageuse.

Sauf que ce n'était pas vrai du tout. Je n'avais pas été courageuse. On est courageux quand on doit faire quelque chose qu'on sait être juste mais qu'on a peur de faire, parce qu'on peut se blesser, par exemple. Mais on le fait quand même.

Tandis que ce que j'avais fait – me jeter sur M. Uptown Girl –, ce n'était pas courageux du tout, parce que je n'avais pas réfléchi aux conséquences. Je l'avais fait. J'avais vu le revolver, j'avais vu le président, j'avais bondi. Un point c'est tout.

Je n'étais pas la fille la plus courageuse au monde. J'étais juste une fille qui avait eu la malchance de se trouver à côté d'un type dont l'intention était d'assassiner le président. Nuance. N'importe qui aurait fait la même chose que moi.

Je ne sais pas combien de temps je serais restée à fixer la main du président si Lucy ne m'avait pas piquée dans le dos. En plus, elle m'a fait mal avec ses ongles qu'elle taille en pointe tous les soirs.

Mais je n'ai rien laissé voir. J'ai juste dit : « Oui, merci », et j'ai tendu la main à mon tour pour serrer celle du président.

Sauf que, évidemment, la main que j'ai tendue, c'était ma main droite, celle qui est plâtrée. Tout le monde a éclaté de rire, comme si c'était hilarant, et le président m'a serré la main gauche.

Puis sa femme a tenu à me féliciter à son tour, tout en me disant qu'elle espérait que ma famille et moi, on viendrait dîner un soir à la Maison Blanche, « quand toute cette histoire sera réglée. »

Dîner ? À la Maison Blanche ?

Heureusement, ma mère a pris le relais à ce moment-là. Elle a répondu que nous serions enchantés de venir dîner.

Puis la première dame des États-Unis s'est retournée et a remarqué quelqu'un qui se tenait dans l'encadrement de la porte. Son visage s'est aussitôt éclairé.

— Oh, voilà David ! s'est-elle exclamée. Puis-je vous présenter notre fils, David ?

Et David est entré.

Le fils du président des États-Unis.

Qui était aussi le David de mon cours de dessin.

Le David du tee-shirt Save Ferris. Et du « Super, tes Doc ».

Maintenant, je savais pourquoi sa tête me disait quelque chose.

9

Comment aurais-je pu le savoir, que c'était le fils du président des États-Unis ?

Il ne ressemblait en rien à l'espèce de dégénéré qu'on voit d'habitude aux infos, à côté de ses parents pendant les campagnes présidentielles. Ce garçon-là ne portait pas de tee-shirt Save Ferris et encore moins des Doc. Il ne donnait pas l'impression de s'intéresser à l'art. Toujours vêtu d'un pull shetland et d'un pantalon de flanelle, il semblait passionné par ce que son père racontait, en général le genre de sujet qui m'ennuie très vite et me fait changer de chaîne... bien que je reconnaisse qu'en tant que citoyenne de ce pays et membre de cette planète, je devrais m'impliquer davantage politiquement.

De toute façon, dès que son père a été élu et qu'il a dû être scolarisé à Washington, chaque fois qu'on voyait David à la télé, il portait l'uniforme débile des élèves d'Horizon : pantalon kaki (jupe pour les filles), chemise blanche, veste bleu marine, cravate rouge.

Et même si David avait plus d'allure dans son uniforme que la majorité des élèves d'Horizon, avec ses cheveux noirs bouclés et ses yeux verts, il n'en restait pas moins un... un dégénéré, quoi. Comment voulez-vous que ce type soit un jour en couverture de *Teen People,* comme Justin Timberlake ? C'est impossible, sauf s'il se mettait au surf, et qu'il en fasse torse nu dans la baie de Chesapeake.

Bien qu'il se tienne là, debout devant moi, je n'arrivais toujours pas à croire que c'était le même garçon qui, il y a quelques jours à peine, m'avait dit qu'il aimait bien mes Doc.

En même temps, j'y arrivais quand même un peu. Car il ressemblait plus alors au garçon au tee-shirt Save Ferris qui aimait bien mes Doc qu'au fils du président des États-Unis saluant le public juste avant de monter dans un avion, ou regardant son père depuis le bord d'une estrade dans une ville du Kentucky.

J'aurais été bien en peine de dire qui de nous deux était le plus étonné. David paraissait assez surpris, mais à mon avis, ce n'est pas parce qu'on s'était déjà rencontrés.

Non, David me regardait fixement parce qu'il ne me reconnaissait pas. N'oublions pas que la dernière fois, j'étais en noir des pieds à la tête, j'avais mes Doc, et je n'étais ni maquillée ni coiffée. Rien à voir avec la jupe et les mocassins de ma sœur. Sans parler de mes cheveux lisses et de mes lèvres brillantes et désirables... du moins, c'est ce que promettait le tube de gloss avec lequel Lucy m'avait barbouillé la bouche.

Pas étonnant que David me dévisage ainsi : je ressemblais comme deux gouttes d'eau à Lucy !

— Euh..., a-t-il fait, ce que je ne lui reproche absolument pas. Salut.

Je lui ai répondu de manière tout aussi intelligente :

— Euh... Oui, salut.

La mère de David nous a observés à tour de rôle puis elle a dit, d'une drôle de voix :

— Vous vous connaissez ?

— Oui, a répondu David.

Il souriait à ce moment-là. Et il avait un joli sourire. Pas aussi joli que celui de Jack, bien sûr, mais joli quand même.

— Samantha est dans mon cours de dessin chez Susan Boone, a-t-il expliqué.

C'est à ce moment-là que ça a fait tilt dans ma tête.

Samantha est dans mon cours de dessin chez Susan Boone.

David pouvait faire une gaffe en révélant à mes parents que j'avais séché le cours de dessin.

Et alors ! La belle affaire ! J'avais sauvé la vie du président des États-Unis d'Amérique ! N'était-ce pas une excuse suffisante ?

Oui, sans doute. En tout cas, auprès de mes parents. Ils n'étaient pas si stricts que ça.

En revanche, elle n'aurait aucun effet sur Theresa,

à qui j'avais juré de ne jamais sécher. Même si elle appréciait beaucoup le président, dès qu'elle apprendrait que je lui avais désobéi, ma vie deviendrait un enfer. Terminé les beignets au chocolat après l'école. Je n'aurais plus le droit qu'à des barres de céréales et à une pomme de temps en temps, peut-être. Theresa était capable de pardonner beaucoup de choses – les mauvaises notes, les retards, les devoirs pas faits, les traces de boue sur le sol de la cuisine qu'elle venait de nettoyer –, mais le mensonge ?

Non. Même pour une bonne cause, comme préserver mon intégrité en tant qu'artiste.

Ce qui explique pourquoi j'ai alors adressé un regard suppliant à David dans l'espoir qu'il comprendrait. Je ne vois pas comment il aurait pu, cela dit. Même s'il ne portait pas son uniforme d'Horizon, avec sa chemise boutonnée jusqu'au col et son pantalon au pli droit, il avait l'air d'un garçon qui ne s'opposait jamais à ses parents, et encore moins à sa gouvernante.

Mais bon, si j'avais une chance, juste une chance d'obtenir de lui, comme de l'agent des services de sécurité, qu'il ne mentionne pas mon absence au cours de la veille...

— Vous avez inscrit Samantha chez Susan Boone ? a demandé la première dame des États-Unis à ma mère. Susan est merveilleuse, vous ne trouvez pas ? David l'adore !

Elle a tendu la main et l'a posée sur l'épaule de son

fils, en un geste étonnamment tendre pour une femme mariée à l'homme le plus important du pays.

— Comme je suis heureuse que David ait quitté le cours plus tard que d'habitude hier soir, a-t-elle continué. Qui sait ce qui serait arrivé s'il était sorti au moment où...

Elle n'a pas fini sa phrase. J'imagine qu'elle voulait dire : qui sait ce qui serait arrivé si David était sorti au moment où M. Uptown Girl a tiré. En fait, il ne serait rien arrivé du tout. Puisque j'étais là. Et que je lui ai fait rater son coup.

« Je t'en prie, David, ai-je pensé très fort. Ne dis pas que je n'étais pas là hier soir. Pour une fois dans ta vie de fils de politicien qui boutonne sa chemise jusqu'au col, essaie de t'ouvrir l'esprit et de recevoir ma supplique. Je sais que tu le peux. Tu aimes Save Ferris. Moi aussi. Peut-être pouvons-nous dans ce cas essayer de communiquer l'un avec l'autre. Ne dis rien, David. Ne dis rien. Ne dis rien. »

— Je vois très bien de quoi vous voulez parler, a déclaré ma mère en tendant la main pour la poser sur mon épaule comme la première dame des États-Unis avec son fils. Je préfère ne pas imaginer ce qui aurait pu arriver si les services de sécurité ne l'avaient pas désarmé aussi vite.

— Oui, a fait la femme du président. Ils sont extraordinaires, non ?

Par miracle, la conversation s'est alors doucement éloignée de Susan Boone. J'ai quand même eu le temps d'apprendre que John – le type d'un certain âge qui ne sait pas dessiner et que je pensais être malentendant – n'était autre que le garde du corps de David.

Si je n'en revenais toujours pas que David soit le fils du président, je ne pouvais pas m'empêcher de me demander ce qu'il avait dû ressentir, lui, en découvrant que la fille qui avait sauvé la vie de son père, c'était moi.

En fait, une fois le choc initial passé, il ne semblait pas si surpris. Il avait même l'air de trouver la situation amusante. Il essayait de ne pas sourire mais n'y parvenait pas très bien. À tous les coups, il devait penser à mon ananas. À ce souvenir, mes joues se sont empourprées.

Mon Dieu ! Ce stupide ananas. Je m'étais dit que rien ne m'interdisait d'en dessiner un si j'en éprouvais l'envie, puisqu'il venait du cœur, comme me l'avait expliqué Jack.

Dans ce cas, pourquoi me sentais-je aussi gênée ?

Finalement, après une vingtaine de minutes de bavardages, le président, sa femme et David ont pris congé.

Dès que la porte s'est refermée, ma mère a poussé un soupir en s'effondrant sur mon lit, qu'elle avait refait pendant que j'étais sous la douche.

— C'était complètement surréaliste, non ? a-t-elle dit.

De tous, c'était Theresa, la plus sous le choc.

— Je n'arrive pas à croire que j'ai rencontré le président des États-Unis, ne cessait-elle de répéter.

Même Rebecca a admis avoir trouvé l'entretien intéressant.

— Mais je regrette de ne pas avoir eu l'occasion de lui parler de Area 51, a-t-elle pesté. J'aimerais vraiment savoir pourquoi le gouvernement tient à nous cacher la vérité sur les visites que les extraterrestres font à notre planète.

Lucy, elle, s'est montrée beaucoup plus terre à terre.

— On va dîner à la Maison Blanche ! s'est-elle exclamée. Je pourrais dire à Jack de venir ?

— NON ! ont hurlé mes parents en même temps.

— O.K., a fait Lucy. Pas de problème. Finalement, ça sera plus drôle d'y aller sans lui. Je pourrai flirter avec David. Il est plutôt mignon.

Vous voyez ? Vous voyez comme ma sœur ne mérite pas de sortir avec un garçon comme Jack ? J'ai serré les poings et j'ai dit sur un ton indigné :

— Hé, ho ? Tu n'as pas déjà un petit ami ?

Lucy m'a dévisagée d'un air étonné.

— Et alors ? Ce n'est pas une raison pour que je ne regarde pas les autres garçons ! Est-ce que tu as vu les yeux verts de David. Et ses fesses...

— Ça suffit, l'a coupée mon père. Il est hors de question que l'on parle des fesses de qui que ce soit en ma présence. Et hors de ma présence aussi, d'ailleurs.

— Et c'est valable pour moi aussi, a ajouté ma mère.

J'étais tout à fait d'accord. Il était hors de question que Lucy regarde les fesses d'un autre garçon alors qu'elle pouvait regarder celles de Jack à loisir ! Mais Lucy ne semblait pas se rendre compte de sa légèreté et de son manque de loyauté envers Jack. Elle a haussé les épaules et a répondu :

— D'accord... d'accord..., avant de se diriger vers la fenêtre.

— Écarte-toi tout de suite ! avons-nous aussitôt crié, ma mère et moi.

Trop tard. Des acclamations enthousiastes sont montées de la foule, toujours massée dans la rue. Bien que surprise dans un premier temps, Lucy s'est vite ressaisie et s'est mise à agiter la main comme si elle était le pape ou la reine d'Angleterre.

— Bonjour ! disait-elle, même si personne ne pouvait l'entendre. Bonjour, vous tous !

Au même moment, la porte de la chambre s'est ouverte et une femme affublée d'un chemisier à dentelles – j'ai su plus tard qu'elle s'appelait Mme Rose, et qu'elle était l'administratrice en chef de l'hôpital – s'est dirigée vers Lucy

— Mademoiselle Madison ? a-t-elle dit. Êtes-vous prête pour la conférence de presse ?

— Ce n'est pas moi, c'est elle, a répondu ma sœur en pointant le bout d'un de ses doigts vernis dans ma direction.

Mme Rose m'a regardée.

— Oh. Très bien. Êtes-vous prête ? Les journalistes veulent juste vous poser quelques questions. Ça ne prendra pas longtemps. Vous serez ensuite libre de rentrer chez vous.

J'ai jeté un coup d'œil à mes parents. Ils me souriaient d'un air encourageant. J'ai jeté un coup d'œil à Theresa. Elle me souriait aussi, du même air encourageant. Je me suis tournée vers Lucy. Qui, elle a dit :

— Ça va aller, mais surtout, ne tripote pas tes cheveux. J'ai réussi à te coiffer à peu près correctement. Ne va pas tout me gâcher.

Je me suis tournée vers Mme Rose.

— O.K., ai-je déclaré. Je suis prête. Du moins, j'espère.

Les dix choses qu'il ne faut pas faire quand on donne une conférence de presse :

10. Lorsque le journaliste du *New York Times* vous demande si vous avez eu peur quand Larry Wayne Rogers (c'est le nom de M. Uptown Girl) a sorti son revolver de dessous son poncho de pluie, ne répondez pas : « Non au contraire, j'ai été soulagée, parce que j'ai pensé qu'il allait sortir autre chose. »

9. Ce n'est pas parce qu'il y a une bouteille d'eau et un verre devant vous que vous devez boire. Surtout si, au moment où vous portez le verre à vos lèvres, il glisse à cause du gloss, et vous fait renverser de l'eau partout.

8. Lorsque le journaliste du *Indianapolis Star* vous demande si vous saviez que Larry Wayne Rogers a cherché à tuer le président pour impressionner

la célébrité dont il est obsédé depuis des années – l'ex-femme de Billy Joel, le mannequin Christie Brinkley, pour qui Billy a justement écrit *Uptown Girl* –, ne vous exclamez pas : « Quel loser ! » mais exprimez à la place votre inquiétude au sujet de la maladie mentale qui pose de graves problèmes.

7. Si un correspondant de *CNN* vous demande si vous avez un petit ami, il est préférable de répondre : « Pas pour l'instant », au lieu de vous étrangler, comme je l'ai fait.

6. Fixer la tête de Barbara Walters en vous demandant si ce sont ses vrais cheveux ou une perruque.

5. Lorsque Matt Lauer se lève pour vous poser une question, il vaut mieux ne pas hurler dans le micro : « Hé ! mais je vous reconnais ! Ma mère vous adore ! »

4. Si une mèche de vos cheveux vient à se coller sur vos lèvres enduites de gloss, écartez-la discrètement de la main au lieu de souffler dessus comme si vous éteigniez vingt bougies sur un gâteau d'anniversaire.

3. Lorsqu'un journaliste du *Los Angeles Times* vous demande si c'est vrai que vous venez de rencon-

trer le président et sa famille, et qu'il veuille ensuite savoir quel effet ça vous a fait, ne répondez pas : « Euh..., normal. » Essayez de développer.

2. En règle générale, quand on a sauvé la vie du président d'un pays, la plupart des gens ont envie d'en entendre parler. Ils s'en fichent de savoir à quoi ressemble votre chien.

Mais surtout, quand on donne une conférence de presse, il faut :

1. Ne pas oublier de mettre des lunettes de soleil. Sinon, à cause des flashs des photographes, tout ce que vous serez capable de voir devant vous, c'est une grosse tache rouge. Du coup, quand vous descendrez de l'estrade, vous trébucherez parce que vous ne verrez pas où vous mettez les pieds, et vous atterrirez sur les genoux de la présentatrice télé, Candace Wu.

10

Voilà ce qui arrive quand on empêche un fou d'assassiner le président des États-Unis : du jour au lendemain, tout le monde – j'ai bien dit, tout le
monde – veut devenir votre ami.

Je ne plaisante pas.

Et je ne parle pas des personnes qui m'ont envoyé
des messages de prompt rétablissement avec les ballons et les ours en peluche (on les a tous laissés à l'hôpital). Lorsque je suis rentrée à la maison, il y avait
cent soixante-sept messages sur notre répondeur, dont
vingt seulement de personnes que je connaissais,
comme Grand-père et Catherine, par exemple. Les
autres provenaient de journalistes ou de gens comme
Kris Parks, qui semblait brusquement avoir oublié que
la veille encore, elle se moquait de moi.

— Salut Sam, disait-elle d'une voix chantante.
C'est moi, Kris ! Je t'appelle pour savoir si tu veux

venir samedi soir. J'organise une fête. Mes parents ne seront pas là. On va s'éclater ! Mais sans toi, ce ne sera pas drôle.

Je n'en revenais pas. Elle aurait pu être un peu plus subtile, au moins. Elle ne m'avait pas invitée chez elle depuis le primaire, et elle faisait comme si on était toujours amies !

Apparemment, Lucy ne partageait pas mon point de vue.

— Cool ! s'est-elle exclamée. Une fête chez Kris. J'irai avec Jack !

Ce à quoi mes parents ont répondu : « Certainement pas », avant d'ajouter qu'il était hors de question que nous allions à des soirées où il n'y avait pas au moins un parent présent. Surtout en compagnie de Jack, qui s'était fait remarquer en prenant un bain de minuit dans la piscine de Chevy Chase Country Club, l'an dernier à Noël. (Je suis sûre que mes parents préféreraient que Lucy sorte non pas avec un rebelle, comme Jack, mais avec un garçon qui ne remet jamais en question l'autorité et accepte humblement ce qu'on lui accorde au compte-gouttes, comme la majorité des gens de notre génération.)

Quand j'ai vu Lucy s'approcher de la fenêtre et saluer les reporters qui attendaient dehors, j'en ai conclu que, finalement, elle n'était pas trop perturbée de ne pas aller à la fête de Kris Parks avec Jack.

Pour en revenir aux messages, ce n'est pas celui de Kris Parks qui m'a le plus déconcertée. Ni ceux des journalistes qui me demandaient une interview ou m'annonçaient que plusieurs émissions de télé désiraient faire un portrait de moi.

Comme si un sujet d'une heure sur moi pouvait intéresser qui que ce soit. Jusqu'à présent, ma vie n'avait été qu'une suite d'humiliations. S'ils voulaient analyser en profondeur mon ancien problème de zézaiement et la façon dont je m'en étais sortie en me retenant de ne pas traiter Kris Parks de tous les noms, eh bien, je leur souhaitais du courage !

Sinon, il y avait aussi des messages provenant de diverses sociétés. Par exemple Coca-Cola me proposait de les représenter dans des publicités. Comme si j'allais me mettre devant une caméra et dire : « Buvez du Coca comme moi. Vous pourrez alors vous jeter sur un malade mental, fan de Christie Brinkley, et vous retrouver avec le poignet cassé. »

Mais ce message-là non plus n'était pas celui que je redoutais le plus.

Celui que j'avais espéré ne pas entendre, c'est le cent-soixante-quatrième. Qui disait, d'une voix que je ne connaissais que trop bien : « Samantha ? Bonjour, c'est Susan Boone. Des cours de dessin. Est-ce que tu pourrais me rappeler ? J'aimerais que l'on parle de deux ou trois petites choses. »

Quand je l'ai entendu, j'ai paniqué.

Je l'ai rappelée en cachette – pour que personne ne m'entende m'excuser platement. Mais avant, j'ai dû attendre que mon père contacte la compagnie de téléphone pour faire changer notre numéro et nous mettre sur liste rouge. C'était plus prudent, vu que sur les cent soixante-sept messages, certains manifestaient un peu trop d'intérêt, si vous voyez ce que je veux dire. Apparemment, ma photo ne les avait pas dissuadés.

En plus de changer de numéro de téléphone, les services de sécurité nous ont conseillé de faire installer une alarme. Toujours postés devant la maison, ils empêchaient les badauds d'approcher tandis que des agents de la circulation détournaient les voitures de notre rue où il y avait brusquement quatre à cinq fois plus de véhicules que d'habitude. Les gens s'étaient débrouillés pour découvrir notre adresse et roulaient tout doucement dans l'espoir de m'apercevoir. Ne me demandez pas pourquoi. Je ne fais jamais rien de très intéressant. La plupart du temps, je suis dans ma chambre où je dessine des portraits de moi avec Jack. Mais j'imagine qu'ils voulaient voir à quoi ressemblait la vie d'une héroïne de la nation.

Parce que c'est ce que je suis maintenant, que je le veuille ou non. Une héroïne.

Ce qui est, finalement, une autre façon d'appeler quelqu'un qui se trouvait au mauvais endroit au pire moment.

Bref, quand mon père en a eu fini avec la compagnie de téléphone, j'ai appelé Susan Boone – mais pas avant d'avoir consulté Catherine.

— *À dîner ?*

C'est tout ce que Catherine a réussi à dire.

— Tu te prends une balle à la place du président des États-Unis, et on ne t'offre qu'une invitation à dîner ?

— Je n'ai pas pris de balle, lui ai-je rappelé, et c'est un dîner à la Maison Blanche. Mais pourrais-tu revenir au sujet dont je viens de te parler ? Qu'est-ce que je dois dire à Susan Boone ?

— N'importe qui peut aller dîner à la Maison Blanche s'il y met le prix, a continué Catherine, d'un air dégoûté. Je pensais que tu aurais eu plus qu'un dîner. Il aurait pu au moins te remettre une médaille.

— Il le fera peut-être à l'occasion de ce dîner. Qui sait ? Mais parlons plutôt de Susan Boone. Qu'est-ce...

— Samantha, m'a coupée Catherine sur un ton impatient que je ne lui avais jamais entendu. On ne remet pas de médaille à l'occasion d'un dîner. Il faut une cérémonie spéciale pour ça. Et tu as sauvé la vie du président. Elle s'en fiche, ta prof de dessin, que tu aies séché son cours.

— Je ne sais pas, Catherine. Pour Susan Boone, l'art, c'est sérieux. Elle a peut-être appelé pour m'annoncer qu'elle me renvoyait ?

— Et alors ? Je croyais que c'était ça que tu voulais ? Être renvoyée. Tu m'as bien dit que tu détestais ses cours, non ?

J'ai pris le temps de réfléchir. Est-ce que j'avais vraiment détesté son cours ? Pas quand je dessinais, en tout cas. Ni quand David m'avait dit qu'il aimait bien mes Doc. Ça, c'était plutôt cool.

Mais le reste – quand Susan Boone avait cherché à détruire mon impulsion créatrice et à m'empêcher de dessiner ce que mon cœur me dictait, m'humiliant devant toute la classe, y compris, maintenant que je le savais, le fils du président des États-Unis, ça, je n'avais pas trop aimé.

Du coup, j'en suis arrivée à la conclusion qu'être renvoyée du cours de Susan Boone n'était pas une si mauvaise chose que cela.

— Catherine, excuse-moi, ai-je dit tout à coup. Il faut que je te laisse. Je t'expliquerai plus tard.

Et sur ces paroles, j'ai raccroché et j'ai aussitôt composé le numéro de Susan Boone, pressée d'en terminer une fois pour toutes avec cette histoire.

— Euh..., bon... bonjour, ai-je bafouillé dans le combiné. C'est Samantha Madison.

— Oh, bonjour, a répondu Susan Boone.

J'ai reconnu derrière elle le croassement familier de Joe. Donc, Joe ne vivait pas à l'atelier, mais faisait l'aller et retour quotidiennement avec sa maîtresse. Ce n'est pas une vie pour un affreux oiseau voleur de cheveux !

— Merci de me rappeler, Samantha, a-t-elle continué.

J'ai pris une profonde inspiration et d'un seul coup, je me suis lancée :

— Écoutez, je suis désolée pour l'autre jour. Je ne sais pas si vous êtes au courant, mais...

Susan Boone a éclaté de rire. J'avoue que je m'attendais à tout sauf à ça.

— Samantha, a-t-elle déclaré une fois qu'elle s'est ressaisie. Il n'y a pas un être vivant au sud du pôle Nord qui ne soit pas au courant de ce qui t'est arrivée hier.

— Oh ! ai-je fait.

Puis je me suis dépêchée de lui servir le mensonge que j'avais préparé. Je sais, Jack aurait dit la vérité, qu'il n'appréciait pas du tout sa tentative de nier son intégrité d'artiste. Mais comme je ne suis pas Jack, j'ai juste marmonné :

— Je ne suis pas venue à votre cours à cause de la pluie. Il pleuvait tellement fort que j'étais trempée, et je n'ai pas osé monter. Du coup, je suis allée chez Static en attendant que mes vêtements sèchent, et après, je ne sais pas ce qui s'est passé. J'imagine que je n'ai pas fait attention à l'heure, et...

— Ce n'est pas grave, Samantha, m'a coupée Susan Boone.

D'accord, je l'admets, ce n'était pas terrible comme mensonge, mais j'avais fait de mon mieux.

— Parlons plutôt de ton bras, a repris Susan Boone.

— De mon bras ? ai-je répété en baissant les yeux sur mon plâtre.

Je commençais tellement à m'y habituer que je l'avais complètement oublié.

— Oui. Est-ce celui avec lequel tu dessines ?

— Euh... non.

— Parfait. Dans ce cas, je te vois, jeudi.

J'ai eu alors une pensée légèrement mesquine. Je me suis dit que Susan Boone, comme Pepsi ou Coca-Cola, ne voulait de moi dans son atelier que pour la publicité que je pouvais lui apporter.

Et alors ? Pourquoi pas ? On ne peut pas dire qu'elle s'était répandue en éloges sur mes talents la seule fois où j'avais assisté à l'un de ses cours.

— Écoutez, madame Boone, ai-je commencé en me demandant comment j'allais pouvoir lui dire ce que j'avais à lui dire – sur la façon dont elle m'avait humiliée, et où on en serait si quelqu'un avait fait la même chose à Picasso – sans la blesser. Car mis à part le fait qu'elle n'ait pas aimé mon ananas, elle était plutôt sympathique.

— Susan, a-t-elle déclaré.

— Pardon ?

— Appelle-moi Susan.

— Bon, d'accord, Susan. Voilà. Je ne pense pas avoir le temps de prendre des leçons de dessin pour l'instant.

Pourquoi ne pas essayer cette excuse, s'il y avait une chance qu'elle marche ? Par ailleurs, c'était tout à fait plausible qu'avec tous ces journalistes devant la maison, ces badauds dans la rue et ces malades qui laissaient des messages sur notre répondeur, mes parents oublient mes cours de dessin. Étant donné les circonstances, qu'est-ce qu'on en avait à faire de ma mauvaise moyenne en allemand...

— Sam, a repris Susan Boone. Tu es très douée, mais pour dessiner correctement, tu dois cesser de *penser* et te mettre à *voir*. Et la seule façon d'y parvenir, c'est de te donner le temps d'apprendre à voir.

Apprendre à voir ? Hé, ho ? Est-ce que Susan Boone pensait que je m'étais blessée à l'œil et non au bras ?

Jack avait raison : elle essayait de me pousser à dessiner avec mes yeux et non avec mon cœur !

Mais avant même que je réponde : « Non, merci, madame Boone, ça ne m'intéresse pas de devenir l'un de vos automates », elle a déclaré :

— J'espère te voir au cours de jeudi, sinon, je serai malheureusement dans l'obligation de prévenir tes parents de ton absence hier.

Ouah ! Ça, c'était vache. Surtout de la part de la reine des elfes.

— D'accord, ai-je répondu, résignée.

On ne peut pas dire que je m'étais battue longtemps contre le système.

— Parfait, a déclaré Susan Boone.

Et sur cette dernière parole, elle a raccroché. Juste avant, j'ai entendu Joe lancer : « Joli oiseau, joli oiseau ! »

Elle m'avait eue. Mais le pire, c'est qu'elle savait.

Elle savait ! Qui aurait pu croire que la reine des elfes pratiquait la divination aussi ?

Résultat, j'allais devoir retourner à son cours et me retrouver avec toutes ces personnes pour qui mon absence mardi n'était sans doute pas passée inaperçue et ne constituait pas un mystère non plus. *Mais oui, bien sûr, elle n'est pas venue parce qu'elle n'a pas supporté que Susan critique son dessin.*

J'étais assise, la tête entre les mains, quand Lucy est entrée dans ma chambre. Sans frapper, comme à son habitude.

— Bien, a-t-elle juste dit.

J'aurais dû me douter qu'elle ne s'arrêterait pas là. Elle tenait un classeur et un stylo à la main. Et portait sa tenue de cadre supérieur : mini-jupe verte, chemisier blanc et veste.

— Je t'ai organisé un déjeuner, demain avec mes copines, suivi d'un après-midi shopping à George-town, a-t-elle annoncé tout en consultant son classeur. Dans la soirée, nous assisterons, Jack, toi et moi, à l'avant-première du dernier film d'Adam Sandler. C'est important qu'on te voie au cinéma, puis ensuite on ira manger une pizza chez Luigi. Dimanche, on a un brunch et ensuite tu viendras avec nous au match. Dimanche soir, on dîne chez le président. Impossible de déplacer, j'ai déjà essayé. Mais au cas où il nous reste un peu de temps après, on pourra retourner chez Luigi, histoire de voir quelques copains. Lundi – attention, c'est important, Sam, écoute-moi bien –, lundi, on travaillera ton nouveau look. Tu devras te lever une heure minimum avant ton heure habituelle. Terminé l'époque où tu restais au lit jusqu'au dernier moment, enfilais la première fringue qui te tombait sous la main puis te traînais au bahut comme si tu allais au bagne en pensant que tout le monde se fiche pas mal de ton allure. Tu vas devoir faire des efforts, Sam. Par ailleurs, n'oublie pas qu'il faut compter au moins une demi-heure le matin pour te coiffer.

Je l'ai dévisagée en clignant des yeux et j'ai dit, très, très lentement parce que j'avais l'impression que ma langue pesait brusquement une tonne :

— De... quoi... parles... tu ?

— De ta nouvelle vie mondaine, a répondu Lucy en s'allongeant sur mon lit, où on était déjà installés, Manet et moi. Dorénavant, je m'occuperai de toutes tes apparitions publiques. Tu n'auras même pas à t'en soucier. Je ne dis pas que ce sera simple, non plus. Tu n'as pas beaucoup d'atouts, Sam. Et le fait que tu traînes avec Catherine n'arrange rien. Elle est sympa, d'accord, mais question look, ce n'est pas ça. À mon avis, tu n'as pas trop intérêt à la fréquenter. À présent, je voudrais te poser une question : as-tu teint tous tes vêtements en noir ? Tu es sûre qu'il ne te reste rien ?

— Lucy, ai-je déclaré, refusant de croire à ce qui m'arrivait. Sors de ma chambre.

Lucy a lissé ses cheveux avant de me répondre.

— Voyons, Sam, ne fais pas l'enfant. Des occasions

comme celle-ci ne se présentent pas souvent. Tu dois la saisir. C'est...

— LUCY ! ai-je hurlé avant de lui envoyer une chaussure à la figure. SORS D'ICI TOUT DE SUITE !

Lucy a baissé la tête juste à temps.

— Je cherchais juste à rendre service, tu sais, a-t-elle déclaré, vexée. La prochaine fois, adresse-toi ailleurs !

À mon grand soulagement, elle a rejoint sa chambre, m'abandonnant à ma solitude.

Les dix choses que Gwen Stefani n'accepterait jamais de faire :

10. Gwen Stefani ne laisserait jamais sa sœur choisir ses vêtements pour elle. Gwen a inventé son propre style. Elle aime bien les chemises qu'on trouve dans les fripes et leur donne un look sport et cool en les attachant comme les robes dos nus. Elle ne porterait jamais les trois pantalons bleu marine, gris et ocre que sa sœur a payés trois cent soixante-cinq dollars chez Banana Republic.

9. Si la sœur de Gwen lui demandait de laisser tomber sa meilleure amie à cause de ses tenues, Gwen lui rirait au nez, au lieu de lui lancer une chaussure à la figure.

8. Si Gwen Stefani voulait éviter la horde de journalistes rassemblés devant chez elle pour pouvoir sortir tranquillement son chien, il est peu

probable qu'elle se sauve par la porte de derrière, la capuche de son sweat sur la tête, des lunettes de soleil sur le nez et le pantalon en toile de son père, les jambes remontées jusqu'aux genoux. Non, Gwen passerait par la porte de devant, fendrait fièrement la foule des journalistes et mettrait à profit l'intérêt qu'ils lui portent pour promouvoir son dernier disque.

7. Ça m'étonnerait que Gwen Stefani pique un fard si l'homme qu'elle aime secrètement – en fait, le petit copain de sa sœur – lui disait qu'elle est jolie avec le pantalon en toile de son père.

6. De toute façon, Gwen Stefani est bien trop intègre pour tomber amoureuse du petit copain de sa sœur.

5. Si Gwen Stefani avait sauvé la vie du président des États-Unis, elle ne se cacherait probablement pas chez elle de peur de se trouver nez à nez avec tous ces gens venus la féliciter et lui dire qu'elle est super courageuse.

Mais son disque ne dépasserait pas la cinquième place au Total Request Live, parce que l'Amérique profonde ne comprend rien au ska.

4. Si Kris Parks appelait Gwen Stefani et lui disait : « Salut, Gwen. Tu peux venir alors, à ma fête,

samedi prochain ? », Gwen aurait une réplique pleine d'esprit. Elle ne lui dirait pas : « Comment tu as mon nouveau numéro ? », puisque ça ne peut être que Lucy qui le lui a donné, comme elle l'a donné à pratiquement tout le monde au bahut de peur de rater une fête.

3. Si quelqu'un cherchait à casser l'impulsion créatrice de Gwen, elle ne se laisserait pas faire, même si elle devait s'exposer à un infâme chantage.

2. Gwen Stefani ne passerait jamais son dimanche après-midi à écrire une lettre au petit ami de sa sœur dans laquelle elle lui expliquerait pourquoi il ferait mieux de sortir avec elle qu'avec sa sœur, pour la déchirer ensuite et la jeter dans les toilettes. Elle ferait ses devoirs d'allemand.

Mais ce que Gwen Stefani ne ferait certainement pas, c'est :

1. Porter le tailleur bleu marine que sa mère lui a acheté chez Ann Taylor pour aller dîner à la Maison Blanche.

11

Je suis allée plein de fois à la Maison Blanche. Quand on vit à Washington, D.C., on la visite au moins une fois par an avec l'école, puis on écrit une petite rédaction, du genre *Ma visite à la Maison Blanche*. Vous voyez ce que je veux dire.

J'ai donc vu toutes les salles qui font partie de la visite : le Salon vermeil, la bibliothèque, le Salon chinois, la Salle des cartes, le Salon est, le Salon vert, le Salon bleu, le Salon rouge, etc.

Mais dimanche soir, c'était la première fois que j'y allais, non pas en touriste, mais en invitée.

J'avoue que ça me faisait bizarre. En fait, ça faisait bizarre à toute la famille, sauf peut-être à Rebecca. Mais comme Rebecca venait de recevoir le dernier tome de *Star Trek* qu'elle avait commandé sur Amazon.com, ça ne m'étonnait pas trop.

De toute façon, je soupçonne Rebecca d'être un

robot et donc de n'éprouver aucune émotion humaine.

Ce qui n'était pas le cas de nous autres. La panique nous gagnait à vue d'œil. Par exemple, je savais que ma mère était super nerveuse, parce qu'elle portait son tailleur et son collier de perles – sa tenue quand elle plaide à la cour –, et qu'elle avait confisqué le téléphone portable et le Palm de mon père de peur qu'il s'en serve pendant le dîner. Theresa – qui, en tant que membre très important de notre famille nous accompagnait – s'était mise, elle, sur son trente et un, ce qui impliquait des chaussures violettes à talons aiguilles ornées d'une boucle étincelante sur le devant. Pour une fois, elle ne nous criait pas dessus et n'a rien dit quand Manet est entré dégoulinant de pluie dans le salon où elle venait de passer l'aspirateur. Quant à Lucy, elle avait passé deux heures de plus que d'habitude à se préparer. À sa sortie de la salle de bains, on aurait dit l'invitée surprise de *V.I.P.* et non quelqu'un qui s'apprête à aller dîner chez des gens qui, si on y réfléchit bien, habitaient à deux pas de chez nous.

— N'oublie pas, Sam, ne cache pas la nourriture que tu n'aimes pas sous ton assiette, a commencé Lucy alors que notre père tentait tant bien que mal de sortir la voiture du garage – ce qui, avec la horde de reporters qui se sont précipités pour nous prendre en photo, relevait quasiment de l'exploit.

— C'est bon, Lucy ! me suis-je écriée, énervée

qu'elle me rappelle à l'ordre. Je sais me tenir à table !
Je ne suis plus un bébé !

Cela dit, je reconnais qu'à la maison, quand il y a
quelque chose que je n'aime pas, je le glisse discrètement sous la table où Manet se fait un plaisir de le
manger à ma place. Comme les carottes, les auber-
gines, les petits pois, le foie de volaille, et j'en passe.
La première famille des États-Unis n'a pas de chien,
mais un chat. Les chats sont adorables, intelligents,
tout ce qu'on veut, mais ils ne sont d'aucune aide pour
les gens difficiles sur la nourriture comme moi. Si on
nous sert du chou-fleur, ça m'étonnerait que le premier chat des États-Unis m'en débarrasse.

Bref, la question était la suivante : que faire s'il y
avait des brocolis (au secours !) ou pire, un plat avec
des tomates ou du poisson ? Impossible de les cacher
sous mon assiette ! Dès qu'on m'en débarrasserait, on
découvrirait toute la nourriture en dessous ! C'était
encore plus gênant que d'avoir dessiné un ananas qui
n'existait pas.

Lorsqu'on s'est engagés dans Pennsylvania Avenue,
de nouveau, ça m'a fait bizarre. Normalement, le
terre-plein devant la Maison Blanche est fermé aux
voitures. La seule façon de s'approcher de la grille qui
entoure la maison du président, c'est à pied.

Mais comme on était des invités d'exception, on a
été autorisés à rouler jusqu'à la barrière qui bloque la
route. Là, des policiers ont vérifié la plaque minéralo-
gique de la voiture et la carte d'identité de mon père.

Une fois ces formalités accomplies, ils ont levé la barrière et on a pu continuer à avancer.

Arrivée devant la Maison Blanche, j'ai vite vu qu'on n'était pas les seuls. Loin de là, même.

Il y avait des policiers partout, à cheval, à vélo ou à pied. Tout en continuant de discuter entre eux, ils ont suivi notre voiture du regard avec curiosité. Il y avait aussi des types qui vendaient des tee-shirts du F.B.I. et des casquettes, d'autres avec la silhouette en carton du président à côté de laquelle on pouvait poser pour une photo. Sinon, des tas de touristes traînaient encore là, bien que la nuit soit presque tombée, et se photographiaient à tour de rôle devant l'immense grille en fer forgé de la Maison Blanche. Non loin d'eux, des manifestants arpentaient les pelouses. Certains devaient être là depuis un moment, à en juger par leurs abris et leurs tentes. Sur leurs banderoles, on pouvait lire : *À bas les armes nucléaires* ou *Vivre avec la bombe atomique, c'est mourir à cause de la bombe atomique.* Personnellement, je trouvais que pour des manifestants, ils n'avaient pas l'air très impressionnant. Mais bon, il faisait froid et il bruinait. Qui a envie de manifester sous la pluie ?

Et enfin, regroupés dans un emplacement spécialement prévu pour eux, sur le côté de la pelouse, il y avait les journalistes. Des quantités de journalistes – presque autant que devant chez nous –, équipés d'énormes projecteurs et de micros fixés au bout de longues perches. Dès qu'ils ont vu qu'on se garait devant la porte, ils se sont précipités vers la voiture en criant :

— La voilà ! C'est elle ! C'est elle !

Les reporters n'ont pas été les seuls à nous prendre en photo. Quand ils ont compris ce qui se passait, tous les touristes amassés devant la grille ont commencé à nous mitrailler avec leurs petits appareils. On aurait dit qu'on venait d'arriver en limousine à la soirée des Oscars, sauf que notre voiture est une Volvo Break.

Deux types en uniforme sont aussitôt sortis d'une petite guérite, derrière la grille. L'un d'eux s'est avancé pour bloquer le passage aux journalistes tandis que l'autre ouvrait la porte et nous faisait signe d'avancer.

— Lucy, a dit brusquement ma mère en se tournant vers nous à ce moment-là. J'aimerais beaucoup que tu ne passes pas tout le repas à parler de mode. Quant à toi, Rebecca, je sais que tu as des questions à poser au président sur cette affaire d'ovni à Roswell, mais je te prierais de les garder pour toi. Et enfin, Samantha, je ne te demanderais qu'une chose : s'il te plaît, ne chipote pas à table. S'il y a quelque chose que tu n'aimes pas, laisse-le sur ton assiette. Ne passe pas une demi-heure à le tripoter avec ta fourchette.

Je ne voyais franchement pas pourquoi elle me disait ça. Quand on tripote un aliment du bout de sa fourchette, les gens pensent qu'on en a mangé une partie, au moins.

Mais bon.

On a continué à rouler encore un peu jusqu'à l'entrée de la Maison Blanche.

Quand on regarde la Maison Blanche, depuis Pennsylvania Avenue, c'est-à-dire de l'autre côté de la grille, elle ne paraît pas très grande. C'est parce que la Rotonde, la partie ronde de la maison avec des piliers tout autour, se trouve à l'arrière. L'avant, qui donne sur l'allée, n'est pas du tout impressionnant. En fait, chaque fois que j'ai vu la Maison Blanche depuis Pennsylvania Avenue, je me suis toujours demandé comment une si petite maison pouvait contenir autant de pièces.

C'est seulement quand on voit l'arrière, qu'on comprend mieux.

À peine mon père s'est-il garé qu'un homme en uniforme s'est approché de la voiture et a ouvert la portière de ma mère.

On est tous ensuite sortis à notre tour. Debout sur le perron, la première dame des États-Unis nous attendait.

— Bonsoir ! a-t-elle lancé.

Le président se tenait derrière elle. Il s'est avancé vers mon père et lui a tendu la main.

— Bonsoir, Richard. Comment allez-vous ? a-t-il dit.

— Très bien, monsieur le président.

Le président et sa femme nous ont alors invités à entrer aussi simplement que si on venait pour un barbecue. Sauf que pour un barbecue, on ne porte pas un tailleur bleu marine.

Malgré leur accueil chaleureux, j'avoue que je n'en menais pas large. Pas seulement à cause de mon plâtre ou du produit pour chevaux que Lucy m'avait obligée à utiliser pour lisser mes cheveux ou même parce que j'étais prête à parier qu'il y aurait du chou-fleur dans mon assiette.

Non, je n'en menais pas large tout simplement parce que, aussi sympathiques que soient le président et sa femme, on se trouvait quand même *à la Maison Blanche*.

Et pas dans la partie qu'on visite habituellement, mais dans celle privée qu'on ne voit jamais, sauf à la télé.

Personnellement, j'avais un peu l'impression d'être dans un *bed and breakfast*. Bon, d'accord, j'exagère un peu : le président et sa famille ne vivaient là que depuis une petite année, ce qui explique peut-être pourquoi ils n'avaient pas eu le temps de mieux s'installer.

Et puis, ce n'était pas leur *vraie* maison.

Une fois dans le salon, la première dame des États-Unis nous a invités à nous asseoir et nous a proposé à boire. Je venais de prendre place quand David est entré.

Il avait exactement la même allure que le premier jour chez Susan Boone ! Sauf qu'il portait un tee-shirt Reel Big Fish à la place du Save Ferris. À croire que l'autre David, celui aux pantalons avec un pli et au pull shetland, n'existait pas.

— David ! s'est exclamée sa mère d'un air consterné. Je pensais t'avoir demandé de te changer.

— Mais je me *suis* changé, maman ! a-t-il répondu avec un sourire, tout en attrapant quelques noix de cajou sur la table basse.

Voyant qu'il ne prenait que des noix de cajou et délaissait les noix du Brésil, je n'ai pu qu'approuver son choix. Les noix du Brésil, c'est vraiment très mauvais.

Puis, l'heure de dîner est arrivée. On nous a installés dans une salle à manger officielle. J'ai tout de suite su que Lucy était ravie : sa tenue, dans les tons bleu roi, allait beaucoup mieux avec le décor de cette pièce qu'avec celui du salon privé. Theresa, elle, était super excitée à cause de la vaisselle – des assiettes en porcelaine, avec une bordure dorée tout autour.

J'étais probablement la seule à ne pas être contente. Il faut dire que, dès qu'on s'est assis et qu'on nous a servi le premier plat, la panique m'a gagnée : c'était une salade avec des tomates cerise. Heureusement, il n'y avait rien à redire à la sauce. Du coup, j'ai mangé la salade autour des tomates en priant pour que personne ne le remarque.

Pas de veine pour moi, j'occupais la place d'honneur, juste à côté du président.

— Savez-vous que ces tomates sont importées du Guatemala ? m'a-t-il fait remarquer après avoir observé mon petit manège. Si vous ne les mangez pas, cela pourrait provoquer un incident diplomatique.

Ça ne m'a pas fait rire du tout, même si je savais qu'il plaisantait. Mais comme je ne voulais pas qu'il pense que je n'appréciais pas son invitation, j'ai attendu qu'il détourne la tête et, discrètement j'ai fait disparaître les tomates dans le creux de ma serviette, posée sur mes genoux.

À ma grande surprise, ça a marché. Et ça a marché si bien que pour le plat suivant, une soupe épaisse de palourdes, j'ai mangé la soupe et j'ai envoyé, ni vu ni connu, les palourdes dans ma serviette.

Résultat, à la fin du repas, avant qu'on nous serve le dessert, j'avais au moins un demi-kilo de nourriture sur les genoux, dont un morceau de flétan, des petits pois, des carottes, des oignons nouveaux et du gratin de pommes de terre.

Comme pendant une grande partie du dîner, les adultes ont parlé avec animation de la situation économique en Afrique du Nord, j'ai pu tout cacher sans que personne ne s'en aperçoive. Le seul problème que j'ai rencontré, c'est une tomate découpée en forme de rose qui décorait le gratin et que la femme du président a déposée sur mon assiette avec ces mots :

— Une rose pour notre rose à tous.

J'étais coincée. Tout le monde me regardait. Je l'ai donc engloutie en une bouchée puis j'ai bu la moitié de mon Ice Tea – la boisson pour les moins de vingt ans. Lorsque j'ai reposé mon verre, Rebecca, qui n'avait cessé de m'observer depuis que la première dame des États-Unis avait posé la tomate sur mon assiette, a fait quelque chose de très surprenant : elle a levé les mains et a feint de m'applaudir. Quand Rebecca est comme ça, aussi adorable, je me dis qu'elle n'est peut-être pas un robot, après tout.

C'est à peu près à ce moment-là que je me suis aperçue que... ma serviette dégoulinait ! Ma jupe n'était pas encore tachée mais ce n'était qu'une question de minutes !

Je me suis excusée, prétextant que je devais me rendre aux toilettes, et je me suis levée en emportant ma serviette, serrée dans ma main, comme si j'avais oublié sa présence.

Où que vous alliez, à l'intérieur de la Maison Blanche, vous croisez des agents chargés de la protection du président, des hommes ou des femmes, de la plus grande prévenance. Du coup, lorsque je suis sortie de la salle à manger, j'ai demandé à une femme où se trouvaient les toilettes les plus proches, et elle m'a accompagnée. Une fois à l'intérieur de la cabine, j'ai vidé le contenu de ma serviette dans les toilettes et j'ai tiré la chasse d'eau. J'avoue que j'ai eu un peu honte. Toute cette nourriture gâchée alors qu'il y a tant de gens sur Terre qui meurent de faim.

Mais qu'est-ce que je pouvais faire d'autre ? Cela aurait été mal élevé de tout laisser dans mon assiette.

J'ai réglé le problème de la serviette en la laissant tout simplement dans la corbeille de la salle de bains.

Puis je me suis lavé les mains et je les ai séchées avec plusieurs essuie-mains que j'ai jetés, par-dessus ma serviette. La personne chargée de vider la corbeille penserait que je n'avais pas fait attention.

Bref, j'étais assez contente de moi. La seule chose qui m'ennuyait, c'est que j'avais super faim.

Alors que je reprenais le chemin de la salle à manger, je suis tombée sur David. Apparemment, il se dirigeait vers la même salle de bains.

— Oh, a-t-il fait en me voyant. Ça va ?

— Ça va, ai-je répondu avant de m'écarter de son passage.

Après tout, c'était le fils du président des États-Unis. Mais je n'ai pas été assez rapide. David m'a regardée avec un petit sourire en coin et a ajouté :

— Tu n'as tout de même pas jeté aussi la serviette dans les toilettes ?

12

J'étais démasquée !

J'ai senti que je rougissais des pieds à la racine de mes cheveux conditionnés au produit pour chevaux. Pourtant, j'ai essayé. J'ai essayé de faire comme si je ne voyais pas du tout de quoi il parlait.

— La serviette ? ai-je dit en songeant qu'avec mes cheveux roux et mes joues rouges, je devais évoquer un saladier de fraises. Quelle serviette ?

— Celle qui t'a permis de cacher la moitié de ton repas, a répondu David, d'un air amusé et les yeux plus verts que jamais. J'espère que tu ne t'en es pas débarrassée dans les toilettes. La tuyauterie de cette maison est très vieille. Ça pourrait provoquer une méga-inondation.

Une inondation ? Ce serait bien ma veine !

— Je ne l'ai pas jetée dans les toilettes, ai-je mur-muré en surveillant du coin de l'œil la femme des services de sécurité, qui se tenait à quelques pas de nous. Je l'ai mise dans la corbeille. C'est juste la nourriture que j'ai jetée.

Je venais à peine de finir ma phrase que j'ai été prise de panique.

— Mais c'est vrai qu'il y en avait beaucoup, ai-je ajouté. Tu crois vraiment que ça pourrait boucher les canalisations ?

— Je ne sais pas, a fait David, très sérieusement. La part de gratin était assez énorme.

Quelque chose dans son expression – peut-être le fait qu'il hausse juste l'un de ses sourcils et pas l'autre, comme Manet quand il dresse une seule oreille pour me faire comprendre qu'il est prêt à jouer – m'a fait penser qu'il se moquait peut-être de moi.

Si c'était le cas, je ne trouvais pas ça drôle du tout. C'est vrai, quoi ! Il m'avait fichu la trouille avec son histoire d'inondation.

— Ce n'est pas très sympa de dire ça, ai-je grommelé entre mes dents pour que la femme des services de sécurité ne m'entende pas.

Je n'ai même pas pensé que je m'adressais au fils du président des États-Unis à ce moment-là. J'étais trop en colère. On raconte que les roux s'emportent facilement. Si vous êtes roux et que vous vous mettiez en rogne, vous pouvez être sûr que quelqu'un va lancer : « Oh, oh ! Attention, rouquin en vue. Ils ont le sang chaud. » Ce qui a le don de m'énerver encore plus.

O.K., j'avais jeté dans les toilettes la majeure partie

du dîner. Mais peut-être était-ce pour ça que j'étais en colère... parce que David m'avait surprise en train de gâcher de la nourriture. Alors, oui, j'étais en colère, et j'étais gênée aussi.

Mais j'étais encore plus en colère que gênée. Aussi, je lui ai tourné le dos et je me suis dirigée vers la salle à manger.

— Sam, attends, m'a appelée David en me rattrapant. Reconnais que c'était drôle. Je t'ai bien eue en tout cas. Tu as vraiment cru que les canalisations allaient exploser.

— Pas du tout, ai-je répliqué, même si c'était exactement ce que j'avais redouté.

Sans parler des gros titres dans la presse : *La fille qui a sauvé le président provoque des dégâts terribles dans la plomberie de la Maison Blanche en se débarrassant de son repas dans les toilettes.*

— Si, tu y as cru, a insisté David. Mais j'aurais dû me douter que tu n'as pas le sens de l'humour.

J'ai pilé net et je lui ai fait face. Il était assez grand – plus grand que Jack –, du coup, j'ai dû lever le menton pour regarder droit dans ses yeux verts que Lucy admirait tant.

— Que veux-tu dire par, je n'ai pas d'humour ? Comment sais-tu d'abord que je n'en ai pas ? Tu ne me connais presque pas !

— Je sais que tu es une artiste sensible, a répondu David, avec le même petit sourire que lorsqu'il avait assuré à sa mère s'être changé pour le dîner.

— Eh bien, tu te trompes, ai-je rétorqué.

Pourquoi est-ce que je me donnais la peine de nier ? Était-ce parce que le ton sur lequel il l'avait dit me faisait penser que ça pouvait être une critique ?

Sinon, bien sûr qu'il n'y a rien à redire au fait d'être sensible quand on est artiste.

— Ah bon ? a fait David. Comment expliques-tu alors que tu ne sois pas revenue au cours de Susan Boone après l'incident de l'ananas ?

Ce sont ses paroles, mot pour mot : *l'incident de l'ananas.*

J'ai senti que je rougissais de plus belle. Comment osait-il parler de ça ? Bonjour, la sensibilité !

— Attention, je ne dis pas que tu n'as pas de talent, a-t-il continué. Mais tu es quelqu'un d'exalté. Et difficile en ce qui concerne la nourriture, a-t-il ajouté en jetant un coup d'œil à la salle à manger. Tu n'as pas faim ?

Je l'ai dévisagé comme s'il débloquait. Non, en fait, j'étais sûre qu'il débloquait. En dépit de ses goûts en musique et en chaussures, le fils du président des États-Unis avait vraiment une case en moins.

Cela dit, il avait quand même admis que j'avais du talent, donc il ne devait pas être si marteau que ça.

Avant que j'aie une chance de lui assurer que je n'avais pas faim du tout, mon ventre a parlé à ma place. Il a laissé échappé le plus gênant des bruits, signifiant qu'il n'avait eu en tout et pour tout qu'un peu de salade verte et une tomate, et que c'était inacceptable.

À l'inverse d'une personne normale, David n'a pas fait mine de ne pas avoir entendu. Non, il a dit :

— Je m'en doutais. Écoute, j'étais sur le point d'aller me chercher de la vraie nourriture. Tu veux venir avec moi ?

À présent, ça ne faisait plus l'ombre d'un doute : le fils du président ne tournait vraiment pas rond. Non pas parce qu'il s'était levé de table en plein milieu du repas pour aller se chercher de la vraie nourriture, mais parce qu'il me proposait de l'accompagner. Moi. La fille qu'il venait de surprendre en flagrant délit de gaspillage.

— Je... je..., ai-je bafouillé, confuse. On... on ne peut pas partir comme ça. En plein repas. À la Maison Blanche.

Il a haussé les épaules.

— Pourquoi pas ?

J'ai pris le temps de la réflexion. Et j'ai trouvé des tas de raisons. Un, ce n'était pas très poli, et deux... eh bien, ça ne se faisait pas, un point c'est tout.

Lorsque je lui ai dit tout ça, il a de nouveau haussé les épaules.

— Tu as faim, non ? Alors suis-moi.

J'avoue que je ne savais pas trop quoi faire. D'un côté, ce dîner avait été organisé pour moi, et en tant qu'invitée d'honneur, je ne pouvais décemment pas manger puis filer, surtout avec un garçon qui risquait de perdre la boule à tout moment. Mais d'un autre côté, je mourais de faim.

J'ai jeté un coup d'œil à la femme des services de sécurité, histoire d'essayer de deviner à quoi elle pensait. Elle m'a souri puis a eu une drôle d'expression, comme si elle fermait sa bouche à double tour et se débarrassait ensuite de la clé. En d'autres termes, elle ne semblait pas penser que c'était aussi grave que ça. Le fait, par ailleurs, que ce soit une adulte, suffisamment responsable pour être armée, a suffi à me convaincre que je pouvais accepter la proposition de David.

Je me suis retournée. David était déjà à la moitié du couloir.

Il n'a pas paru très surpris de me voir surgir à son côté, et comme s'il poursuivait une conversation que nous aurions eue dans un univers parallèle, il m'a demandé :

— Qu'est-il arrivé à tes chaussures ?

— Mes chaussures ? ai-je répété.

— Celles que tu portais la première fois que je t'ai vue. Avec les marguerites.

Celles qu'il avait aimées...

— Ma mère a refusé que je les mette. Elle trouvait que ce n'était pas convenable pour venir dîner à la Maison Blanche. Cela dit, aucun de mes vêtements ne convenait. Du coup, je suis habillée de neuf de la tête aux pieds... D'où ce tailleur.

— Tu imagines ce que ça peut être pour moi ? Je dîne à la Maison Blanche tous les soirs.

— Oui, mais on ne t'oblige pas à t'habiller.

— Sauf pour les dîners officiels. Mais je ne peux pas non plus porter ce que je veux le reste du temps.

— Tu étais pourtant habillé normalement au cours de Susan Boone.

— De temps en temps, mes parents ferment les yeux, a-t-il répondu avec l'un de ces fameux petits sourires.

Ils avaient quelque chose de mystérieux. La plupart du temps, on aurait dit que David souriait à une plaisanterie qu'il se faisait à lui-même. Chaque fois, ça m'énervait d'en être exclue. De la plaisanterie, je veux dire. Quand Jack pense à quelque chose de drôle, il le sort immédiatement. Parfois, deux ou trois fois de suite, au cas où on n'aurait pas entendu.

David, lui, semblait parfaitement content de garder ses mots d'esprit pour lui-même. Ce qui était assez agaçant, finalement. Comment savoir si ce n'était pas de moi dont il riait ?

Il a appuyé sur un bouton et un ascenseur est apparu. D'accord, je n'aurais sans doute pas dû être surprise de voir un ascenseur à la Maison Blanche, mais je l'étais. Peut-être parce que l'espace d'un instant, j'avais oublié où je me trouvais.

Bref, on y est entrés et David nous a fait descendre au sous-sol.

— Alors, pourquoi as-tu séché ? m'a-t-il demandé.

Je l'ai regardé. De quoi parlait-il ?

— Séché quoi ?

— Eh bien, le cours de dessin. Après l'incident de l'ananas.

— Je pensais que tu le savais, ai-je répondu avec difficulté. Parce que je suis une artiste sensible, non ?

La porte de l'ascenseur s'est brusquement ouverte et David s'est écarté pour me laisser passer.

— C'est vrai, a-t-il dit. Mais j'aimerais entendre ta version.

Ben voyons ! Il était hors de question que je lui fasse ce plaisir. Il se moquerait immédiatement de moi. Ce qui reviendrait à se moquer de Jack. Et ça, je ne le supporterais pas. Aussi, j'ai répondu avec une certaine assurance :

— Je ne crois pas que Susan Boone et moi avons le même point de vue sur l'art.

David a haussé un sourcil et m'a observée d'un air curieux. Sauf que cette fois, il ne donnait pas l'impression de se moquer.

— Ah bon ? a-t-il fait. Tu es sûre ? Le point de vue de Susan Boone est pourtant intéressant. Et puis, elle est plutôt cool, non ?

C'est ça, oui. Suffisamment cool pour me forcer par le chantage à revenir à son cours.

Mais j'ai gardé cette réflexion pour moi. Cela aurait été politiquement mal vu d'argumenter avec quelqu'un qui s'apprêtait à me procurer de la nourriture.

J'ai donc continué à le suivre le long d'un autre couloir. Celui-ci paraissait bien sobre comparé aux autres. Aucun tapis ou aucune gravure ne le décorait. Arrivé devant une porte, David l'a ouverte : elle donnait sur la cuisine.

— Salut Carl ! a-t-il lancé à un type en veste et toque blanches occupé à mélanger des œufs en neige et du chocolat. Tu as quelque chose de bon à nous offrir ?

Carl a levé les yeux et m'a jeté un coup d'œil.

— Samantha Madison ! s'est-il écrié. La fille qui a sauvé le monde ! Comment allez-vous ?

Des tas de personnes s'activaient autour de lui.

Tout le monde s'est immobilisé en entendant mon nom et, à tour de rôle, chacun est venu me remercier d'avoir empêché que leur patron ne se prenne une balle dans la tête.

David s'est dirigé vers l'immense réfrigérateur et a ouvert la porte en grand.

— Il ne te reste pas des hamburgers de ce midi ? a-t-il demandé.

Mon visage s'est illuminé au mot de hamburger. Apparemment, Carl l'a remarqué car il a dit :

— Vous voulez un hamburger ? Cette jeune fille veut un hamburger. Samantha Madison, je vais vous préparer le meilleur hamburger que vous ayez jamais mangé de votre vie. Asseyez-vous là et ne bougez pas. Vous allez tomber à la renverse.

J'ai pris place sur le banc que m'a indiqué Carl et David s'est assis à côté de moi.

Ça me faisait bizarre d'être dans la cuisine de la Maison Blanche, et ça me faisait encore plus bizarre d'y être en compagnie du fils du président. Cela dit, être en compagnie de n'importe quel garçon me fait bizarre puisque je n'ai pas trop la cote avec eux. Autant regarder la vérité en face : je ne suis pas Lucy. Je ne reçois pas de coups de fil de garçons toutes les cinq minutes.

Mais que ce soit *ce* garçon, et *cet* endroit, rendait le moment vraiment très bizarre. Je n'arrivais pas à comprendre pourquoi David était si... eh bien, si gentil. O.K., se moquer de moi sous prétexte que j'avais peut-être bouché les toilettes de la Maison Blanche n'était pas particulièrement gentil, mais me proposer un hamburger alors que je mourais de faim, ça, c'était cool.

En fait, David devait sans doute agir de la sorte avec moi parce que j'avais sauvé la vie de son père. Je ne voyais pas d'autres raisons à son comportement. Il m'était reconnaissant. Ce qui se comprenait.

En même temps, je ne pouvais pas m'empêcher de penser qu'il se donnait quand même beaucoup de mal. Mais pourquoi ?

Quand Carl a déposé deux assiettes devant nous en nous souhaitant un bon appétit – deux assiettes avec chacune un énorme hamburger et une montagne de frites – et que David les a prises et m'a dit de le suivre, la question m'a paru encore plus pertinente.

J'ai attrapé en vitesse les deux sodas que Carl me

tendait et j'ai suivi une fois de plus David le long du couloir jusqu'à l'ascenseur.

— Où on va ? ai-je demandé.

— Tu verras.

Normalement, ce n'est pas le genre de réponse qui me satisfait. Mais je n'ai rien dit parce que je n'en revenais pas que ce garçon soit si attentionné et gentil avec moi. Le seul à me témoigner un peu de gentillesse ces derniers temps, c'était Jack.

Mais Jack est obligé d'être gentil avec moi, vu que c'est le petit ami de ma sœur. Et puis, Jack est, me semble-t-il, secrètement amoureux de moi. Il est peut-être même possible qu'il reste avec Lucy parce qu'il ne sait pas que je l'aime moi aussi. Si j'avais le courage de lui avouer, tout serait peut-être différent.

Mais David ? David n'était pas obligé d'être gentil avec moi. Pourquoi alors se comportait-il ainsi ? Ça ne pouvait pas être parce qu'il m'appréciait. En tant que fille, je veux dire. Il y avait Lucy juste à l'étage au-dessus. Quel garçon sain d'esprit me préférerait à Lucy ? C'est comme préférer Skipper à Barbie.

Lorsqu'on est sortis de l'ascenseur, au lieu de prendre la direction de la salle à manger, où nous attendaient nos familles, David est parti de l'autre côté, jusqu'à une porte tout au bout du couloir. Derrière, se trouvait un salon d'apparat dont les hautes fenêtres donnaient sur les pelouses de la Maison Blanche avec tout au bout, illuminé dans le ciel étoilé, le Washington Monument.

— Qu'est-ce que tu en penses ? m'a-t-il demandé en posant nos assiettes sur une table devant l'une des fenêtres.

Je suis restée sans voix tellement j'étais sous le choc – et sur mes gardes aussi qu'un garçon si mignon, quoique bizarre, éprouve l'envie de manger avec moi, *moi, Samantha Madison.*

— Pas mal, ai-je fini par trouver la force de dire.

On s'est installés dans la lumière des éclairages de la Rotonde. Cela aurait presque pu être romantique si un agent des services de sécurité n'avait pas surveillé l'entrée de la salle, de l'autre côté de la porte. Et si, bien sûr, David s'était intéressé à moi, ce qui n'était pas le cas vu que pour lui, je n'étais qu'une fille vaguement gothique qui avait sauvé la vie de son père et aimait dessiner des ananas, qu'il y en ait ou pas.

De toute façon, même s'il s'intéressait à moi, romantiquement parlant s'entend, ça ne pouvait pas être réciproque puisque j'aimais d'un amour éternel le petit ami de ma sœur.

À vrai dire, je me fichais pas mal que David soit sympa avec moi parce que je lui faisais pitié ou je ne sais quoi : j'avais trop faim.

Dès la première bouchée, j'ai compris que Carl ne mentait pas. C'était le meilleur hamburger que j'avais jamais mangé de ma vie. D'ailleurs, il m'a fallu moins de deux minutes pour l'engouffrer.

David m'a regardée avec une expression d'étonnement au visage – quand j'aime vraiment quelque chose, c'est vrai que j'ai plutôt tendance à dévorer.

— Ça va mieux ?

Vu que j'avais la bouche pleine, je me suis contentée de lever le pouce en signe d'acquiescement.

— Tu n'as pas trop mal ? a ajouté David en me montrant mon poignet.

J'ai avalé d'un coup l'énorme morceau de viande que j'avais dans la bouche. Parfois, je me demande si je ne ferais pas mieux d'être végétarienne. Sérieux. Après tout, un artiste n'est-il pas censé être plus conscient de la souffrance des autres, y compris de la race bovine ? Le problème, c'est que j'aime trop les hamburgers. Jamais je ne pourrais y renoncer.

— Non, je n'ai pas mal, et oui, ça va mieux, ai-je fini par dire.

— Comment se fait-il que personne n'ait signé ton plâtre ?

J'ai contemplé l'étendue de plâtre blanc autour de mon bras.

— Je le garde comme ça pour le cours d'allemand, lui ai-je confié.

David a tout de suite compris. Il était le seul, avec Jack, évidemment. Seuls les vrais artistes connaissent la valeur d'une toile blanche.

— Oui, bien sûr, a-t-il dit. Ce sera super. Que comptes-tu dessiner ? Un motif hawaiien, avec des ananas, sans doute.

— Je pensais plutôt à un thème patriotique, ai-je rétorqué d'un ton cassant.

— Oui, bien sûr. C'est ce qu'il y a de plus approprié puisque tu t'appelles Madison.

— Quel rapport ?

— Eh bien..., James Madison, a répondu David en haussant à nouveau l'un de ses sourcils. Le quatrième président des États-Unis. C'est un parent à toi, non ?

— Oh ? ai-je fait en me sentant bête. Lui ? Oui, je vois. Mais non, je ne pense pas.

— Tu en es sûre ? Parce que sa femme Dolley et toi avez beaucoup de points communs.

— *Dolley Madison* et moi ? ai-je répété en éclatant de rire. C'est-à-dire ?

— Elle a sauvé un président, elle aussi.

— Elle a pratiqué sur lui la manœuvre de Heimlich un jour où il s'est étouffé à table ?

— Non. Elle a sauvé un portrait de George Washington d'un incendie qui a ravagé la Maison Blanche lors de l'attaque des Anglais pendant la guerre de 1812.

Les Anglais avaient mis le feu à la Maison Blanche ? Quand ?

De toute évidence, pendant une guerre dont on ne nous avait jamais parlé au lycée. Normal, au lycée on ne fait pas histoire avant la première.

— Ouah ! Mais c'est génial ! me suis-je exclamée, en toute sincérité.

Jamais les profs d'histoire ne nous racontent que

des épouses de président risquent leur vie pour sauver un tableau.

— Tu es vraiment sûre de ne pas être de la même famille qu'elle ? a insisté David.

— Oui, malheureusement.

Comme j'aurais aimé être apparentée à quelqu'un qui avait mis sa vie en péril pour sauver une œuvre d'art du feu ! Mais après tout, qui sait si nous n'avions pas un rapport avec Dolley Madison ? Ma mère dit tout le temps que mon tempérament artiste me vient du côté de mon père vu qu'il n'y a pas un seul artiste de son côté à elle. Les Madison ont manifestement été de tout temps des grands amoureux de l'art.

Mais ce caractère avait dû sauter quelques générations puisque j'étais la seule de la famille à savoir dessiner.

David s'est brusquement levé et s'est avancé vers la fenêtre.

— Viens voir, m'a-t-il dit en écartant le rideau.

Je l'ai rejoint et j'ai vu qu'il me montrait l'appui de la fenêtre. Il était peint en blanc, comme les autres moulures de la fenêtre. Mais en me penchant plus près, j'ai remarqué trois noms, gravés dans le bois : Amy... Chelsea... David.

— C'est quoi ? Le mémorial des enfants de président.

— On peut appeler ça comme ça, a répondu David.

Il a alors sorti un couteau suisse de la poche de son

jean et a commencé à creuser le bois avec la pointe de sa lame. Je n'aurais probablement rien dit si je n'avais pas vu que la première lettre était un S.

— Hé ! Qu'est-ce que tu fais ? me suis-je écriée, légèrement inquiète.

D'accord, je suis une rebelle et tout ça, mais le vandalisme qui ne défend pas une bonne cause, ça s'appelle du... du vandalisme.

— Voyons, tu es celle qui le mérite le plus, a déclaré David. Non seulement tu as peut-être un lien de parenté avec l'un des présidents des États-Unis, mais en plus tu as sauvé la vie de l'un d'eux.

J'ai jeté un coup d'œil par-dessus mon épaule en direction de la porte, derrière laquelle se tenait l'agent des services de sécurité. Soyons clair. David était peut-être le fils du président, mais ce qu'il faisait en ce moment était une atteinte à la propriété de l'État. Et pas n'importe quelle propriété. La Maison Blanche. Je suis sûre qu'on peut être envoyé en prison pour avoir détérioré la Maison Blanche.

— David, ai-je commencé à voix basse pour que personne ne m'entende. Ce n'est pas nécessaire.

Mais il était tellement concentré sur son travail – il gravait à présent la lettre A –, qu'il ne m'a pas répondu.

— Franchement, ai-je insisté. Si tu voulais me remercier d'avoir sauvé la vie de ton père, le hamburger suffisait.

Trop tard. Il attaquait le M.

— À mon avis, ce n'est pas parce que ton père est le président des États-Unis que tu n'auras pas d'ennuis pour ça.

— Je ne pense pas que ça aille si loin, tu sais, m'a enfin répondu David. Je suis encore mineur.

Il s'est alors penché sur son œuvre et m'a demandé :

— Qu'est-ce que tu en penses ?

Je me suis approchée et j'ai vu mon nom, Sam, à côté de celui d'Amy Carter, de Chelsea Clinton et de David.

— Je pense que tu es fou, ai-je déclaré, très sérieusement.

— Ah bon ? a-t-il fait en rangeant son couteau suisse. Je dois dire que ça me vexe un peu, venant de la part d'une fille qui dessine des ananas quand elle n'en voit pas, qui se débarrasse d'une part de gratin dans les toilettes et qui se jette sur des inconnus armés.

J'ai écarquillé les yeux, totalement interloquée. Puis j'ai éclaté de rire. Je ne pouvais pas m'en empêcher. Parce que c'était assez drôle, après tout.

David s'est mis à rire à son tour, et on était là tous les deux, nous esclaffant à n'en plus finir, quand la porte s'est brusquement ouverte sur l'agent des services de sécurité.

— David ! a-t-il appelé. Votre père vous cherche.

On a couru jusqu'à la salle à manger car on ne fait pas attendre le président des États-Unis.

À notre arrivée, en un coup d'œil, j'ai vu que le président n'était pas le seul à nous attendre. Tous les regards étaient tournés vers nous, et quand on est entrés, à ma grande surprise, le président, sa femme et ma famille entière se sont mis à applaudir.

Au début, je n'ai pas compris pourquoi. Est-ce qu'ils applaudissaient parce que David et moi avions enfin réussi à retrouver notre chemin (en même temps, comment auraient-ils pu être au courant de notre escapade jusque dans les cuisines ? Était-ce par la personne qui avait apporté le dessert ?)

J'ai bientôt compris qu'ils applaudissaient pour une tout autre raison. Et c'est en retournant m'asseoir à ma place, quand ma mère s'est levée et m'a serrée dans ses bras, que j'ai découvert l'explication.

— Ma chérie, comme je suis fière de toi ! s'est-elle exclamée. Le président vient de te nommer ambassadrice de l'Organisation des nations unies pour la jeunesse.

Tout à coup, mon succulent hamburger a pesé sur mon estomac.

13

— Où étiez-vous ? m'a demandé pour la centième fois Lucy.

— Nulle part. Fiche-moi la paix.

— Oh, pardon ! Je m'intéresse, c'est tout. On n'a plus le droit de s'intéresser à ce que font les autres ? Tu n'es pas obligée de le prendre sur ce ton. À moins, bien sûr, que tu n'aies fait quelque chose de défendu.

Ce qui était le cas. Mais pas ce qu'imaginait Lucy, puisque je m'étais contentée de manger un hamburger avec le fils du président des États-Unis – et que je l'avais laissé graver mon nom dans l'appui d'une fenêtre de la Maison Blanche.

— C'est juste que vous aviez une drôle de tête tous les deux, a continué Lucy tout en examinant sa bouche dans le miroir de son poudrier.

Elle venait de passer une demi-heure à se maquiller sous prétexte que je retournais ce matin au lycée pour la première fois depuis « mon acte d'héroïsme », et qu'on risquait de nous prendre en photo.

Ce qui s'est effectivement passé, et dès qu'on est sorties de la maison avec Theresa pour rejoindre la voiture (les services de sécurité nous avaient conseillé de ne pas aller au lycée en bus, mais d'attendre quelques semaines. Lucy avait trouvé leur idée excellente).

Ce qu'elle ne trouvait pas excellent en revanche, c'est qu'il n'y ait rien entre David et moi.

— Vous aviez l'air de très bien vous entendre, a-t-elle déclaré tout en fermant son poudrier. Tu n'es pas d'accord, Theresa ?

Theresa, qui n'est pas une championne du volant et que la présence des reporters devant la maison avait passablement agacée, surtout ceux qui s'étaient jetés sur le capot de la voiture pour me prendre en photo, s'est contentée de lâcher une bordée d'injures en espagnol.

— Oui, je dirais même, comme larrons en foire, a ajouté Lucy.

— N'importe quoi, ai-je marmonné. On s'est juste rencontrés au moment où je sortais de la salle de bains.

— J'ai détecté un frisson, a fait observer Rebecca, depuis l'avant de la voiture où elle était assise.

— Un quoi ? ai-je demandé.

— Un frisson, a répété Rebecca. Un léger frémissement causé par une intense émotion. C'est ce que j'ai détecté chez toi hier soir quand David est arrivé et que vous vous êtes regardés.

J'en suis restée bouche bée. Ce n'était évidemment pas possible puisque j'aimais Jack.

— Il n'y a eu aucun frisson, ai-je rétorqué. D'où sors-tu cette idée ?

— D'un des romans d'amour de Lucy, a répondu Rebecca en souriant. J'en ai lu plusieurs dans l'espoir de mieux comprendre les relations entre les gens. Je peux t'assurer que vous avez frémi, David et toi.

J'ai eu beau leur certifier que non, Lucy et Rebecca m'ont soutenu le contraire : elles avaient bel et bien senti qu'un frisson nous parcourait David et moi. Ce qui est totalement absurde car même si c'était le cas, ça m'étonnerait que ce soit détectable à l'œil nu.

De toute façon, que David soit mignon ou pas, la question ne se posait pas puisque je suis à cent pour cent amoureuse de Jack. D'accord, lui ne l'était peut-être pas, mais un jour, il le serait. Un jour, il ouvrirait les yeux, et ce jour-là, il me verrait.

Et puis, David ne m'aimait pas, c'est clair. Il s'était montré gentil à cause de son père. Un point c'est tout. Si mes sœurs l'avaient entendu se moquer de moi pour cette histoire d'ananas, elles laisseraient tomber leur « frisson ».

Mais bon. Apparemment, tout le monde avait décidé de faire de ma vie un enfer : Lucy et Rebecca, les journalistes entassés sur notre pelouse, les patrons de certaines marques de sodas, qui s'étaient mis à livrer des échantillons de leurs boissons par camion entier, ma famille et même le président des États-Unis.

— En quoi ça consiste d'être l'ambassadrice des Nations unies pour la jeunesse ? m'a demandé Catherine.

On faisait la queue au réfectoire, là où j'ai fait la queue tous les jours de ma vie à l'exception des trois années qui ont suivi ma naissance, des vacances scolaires et de l'année au Maroc.

Mais contrairement à d'habitude, aujourd'hui, toutes les personnes autour de moi me regardaient et parlaient à voix basse. Il y a même eu une élève du collège qui s'est approchée et m'a demandé timidement si elle pouvait toucher mon plâtre.

Je vous l'ai dit : il n'y a rien de tel qu'être une héroïne nationale.

Pourtant, je vous jure que j'ai essayé de minimiser l'importance de l'affaire. Sérieux. Par exemple, je ne me suis pas levée aux aurores pour appliquer le conditionneur de Lucy sur mes cheveux. Je n'ai pas mis mes nouveaux habits de chez Banana Republic, mais je me suis habillée comme avant, en noir des pieds à la tête, et j'ai laissé mes cheveux faire ce qu'ils voulaient, c'est-à-dire n'importe quoi.

Eh bien, malgré tout, on me traitait différemment. Même les profs, qui sortaient des plaisanteries comme : « Pour ceux d'entre vous qui n'ont pas dîné à la Maison Blanche hier soir, avez-vous vu l'excellent documentaire sur le Yémen qui est passé à la télé ? »

ou « Ouvrez vos livres page 265, c'est-à-dire ceux d'entre vous qui ne se sont pas cassé le poignet en sauvant la vie du président. »

Et au réfectoire, pareil. Dès que je suis entrée, Mme Krebbetts m'a fait un clin d'œil et a dit : « Viens ici, ma jolie », avant de me donner une nouvelle part de gâteau.

Jamais dans toute l'histoire du lycée, Mme Krebbetts n'a donné une part supplémentaire de gâteau. Tout le monde a peur d'elle, et pour une bonne raison : si elle vous prend en grippe, vous pouvez faire une croix sur les desserts pendant un an.

Dire qu'aujourd'hui, elle m'en offrait une deuxième part ! Le monde tel que je l'avais connu s'effondrait.

— Tu dois certainement avoir des obligations, a continué Catherine après s'être remise du coup de la part de gâteau et m'avoir suivie à la table qu'on partage d'habitude avec d'autres filles qui, comme elle et moi, n'ont pas la cote au lycée.

Trop anticonformistes pour appartenir aux comités des délégués de classe et pas assez athlétiques pour être des sportives, la plupart d'entre nous jouaient d'un instrument de musique ou faisaient du théâtre. J'étais la seule artiste. On essayait juste d'en finir le plus rapidement possible avec le lycée pour aller à l'université où, espérions-nous, les choses iraient mieux.

— De quoi on s'occupe quand on est ambassadrice des Nations unies pour la jeunesse ? Il doit y avoir une commission chargée des problèmes de la jeunesse, tu ne crois pas ? a insisté Catherine.

— Je n'en sais rien, Catherine, ai-je répondu en m'asseyant. Le président m'a juste dit que je représenterais les États-Unis. J'imagine qu'il doit y avoir des représentants des autres pays, sinon, à quoi ça servirait ? Quelqu'un veut du gâteau ?

Personne ne m'a répondu. J'ai levé les yeux et j'ai compris pourquoi. Lucy et Jack venaient de poser leurs plateaux sur la table.

— Salut tout le monde ! a lancé Lucy sur un ton enjoué, comme si elle mangeait tous les jours à la table des filles que tout le monde évite au lycée. Quoi de neuf ?

— Comment ça se fait que tu as eu une deuxième part de gâteau ? s'est exclamé Jack.

Le problème, c'est que Lucy et Jack n'ont pas été les seuls à s'asseoir à notre table. À ma grande surprise, j'ai vu arriver la moitié de l'équipe de foot et plusieurs pompoms girls. Catherine semblait plus que troublée par cette invasion. On aurait dit qu'une bande de cygnes avaient brusquement pris possession de la mare aux canards.

— Qu'est-ce que tu fabriques ici ? ai-je demandé à voix basse à Lucy.

Lucy a haussé les épaules et a bu une gorgée de son Coca light.

— Puisque tu ne voulais pas te joindre à nous, c'est nous qui sommes venus à toi.

— Hé, Sam ! Approche, je vais signer ton plâtre ! a lancé Jack en sortant un stylo de la poche de son manteau.

— Je peux, moi aussi ? a demandé Debbie Kinley.

J'ai aussitôt écarté mon bras.

— Euh... non merci.

— O.K., c'est bon, a fait Jack, déçu. Je voulais juste te dessiner un jeune rebelle.

Ce qui aurait été cool, mais si j'avais laissé faire Jack, les autres auraient aussi voulu dessiner quelque chose, et la blancheur de mon plâtre aurait été vite gâchée. D'un autre côté, si je n'avais autorisé que Jack à dessiner, tout le monde aurait alors deviné que je l'aimais secrètement.

— Merci, c'est sympa, mais j'ai moi-même des projets pour mon plâtre, ai-je répondu.

J'ai eu un peu honte de mentir à Jack. Après tout, il était mon âme sœur.

En même temps, s'il pouvait se dépêcher de s'en rendre compte et de quitter Lucy et sa bande d'abrutis, ça m'arrangerait. Pour l'instant, ces derniers n'avaient rien trouvé de mieux à faire que se lancer des frites et essayer de les attraper avec la bouche. C'était dégoûtant. Et assez pénible aussi vu qu'ils n'arrêtaient pas de gesticuler. Résultat, chaque fois que je soulevais ma fourchette de ma main valide, je manquais de la faire tomber.

— Vous ne voulez pas vous arrêter ! me suis-je

écriée quand une frite s'est retrouvée dans la compote de Catherine.

Tout en parcourant un article de magazine qui expliquait comment muscler ses cuisses, Lucy a dit d'une voix lasse :

— Depuis qu'elle a eu une médaille, elle se croit tout permis.

Ce qui était totalement faux. Mais qu'est-ce qu'elle croyait ? Que j'allais accepter leur jeu stupide ?

Catherine m'a dévisagée, bouche bée.

— Tu as une médaille aussi ? a-t-elle fini par articuler au bout de quelques secondes. Tu es l'ambassadrice des Nations unies pour la jeunesse et tu as eu une médaille ?

Eh oui, malheureusement. La médaille de bravoure, plus exactement. La cérémonie aurait lieu en décembre.

Alors que je m'apprêtais à lui expliquer tout cela, j'ai vu ma seconde part de gâteau disparaître brusquement et passer devant les joueurs de foot à la vitesse d'un frisbee.

— EST-CE QUE JE PEUX AVOIR MON GÂTEAU ? ai-je hurlé, parce que je voulais l'offrir à Jack.

N'étant évidemment pas au courant de mes intentions, Lucy a levé les yeux de son magazine et a déclaré :

— Hé, calme-toi, Sam ! Ce n'est qu'une part de gâteau. Tu n'as pas besoin de calories en plus, tu sais.

C'est le genre de remarque que Lucy aime bien me faire. J'allais lui répondre quand une voix que je connaissais a lancé, juste derrière moi :

— Salut, Samantha !

Je me suis retournée : c'était Kris Parks.

— Voici une invitation pour ma fête, a-t-elle dit en minaudant. J'espère que tu pourras venir. C'est vrai qu'on ne s'est pas toujours très bien entendues ces dernières années, mais j'aimerais beaucoup qu'on enterre la hache de guerre et qu'on redevienne amies. Je t'ai toujours admirée, Sam, parce que tu restes fidèle à tes convictions. Je voulais que tu saches aussi que je ne t'en veux pas de m'avoir fait payer pour les portraits.

Je l'ai regardée fixement, avec l'impression d'être dans un rêve. Sérieux.

De tout ce qui m'était arrivé récemment – les livraisons de sodas, les ours en peluche porteurs de messages de remerciements, le dîner à la Maison Blanche –, ce qui me décontenançait le plus, c'est que Kris Parks s'incline ainsi devant moi. Je suis sûre que Cendrillon a ressenti la même chose quand ses sœurs se sont mises à la flatter bassement, une fois que le prince lui a enfilé le soulier de vair.

Mais, comme Cendrillon, je n'ai pas eu le courage d'envoyer Kris Parks au diable. J'aurais dû, pourtant. Je sais que j'aurais dû.

À quoi bon, finalement ? Ce n'est pas parce que je serais désagréable à mon tour qu'elle cesserait de me lancer des piques. La méchanceté était tout ce qu'elle connaissait.

— Je ne sais pas encore si je pourrais venir, ai-je répondu en glissant l'invitation dans mon sac à dos, au lieu de n'écouter que mon instinct et de la jeter à la poubelle. Je vais voir.

Lucy a tout gâché, évidemment.

— Ne t'inquiète pas, Kris, a-t-elle dit tout en continuant de lire son article. Sam viendra.

— C'est vrai ? s'est aussitôt exclamée Kris. Génial !

— En fait, suis-je intervenue en adressant un regard à Lucy qu'elle n'a malheureusement pas vu puisqu'elle venait de commencer un nouvel article expliquant comment repousser les petites peaux des ongles, je n'en suis pas si certaine, Lucy.

— Mais si, tu iras, a insisté Lucy. On ira même tous ensemble, David, Jack, toi et moi.

— *David* ? ai-je répété. Qu'est-ce que c'est que ces histoires...

— C'est tellement mignon ! a lâché Kris avec un soupir. Je veux dire, ce qu'il y a entre le fils du président et toi. Quand Lucy m'en a parlé, j'ai cru que j'allais tomber dans les pommes.

— Quand Lucy t'a parlé de quoi ? ai-je demandé.

— Eh bien, que vous sortiez ensemble, tous les deux, a répondu Kris, surprise par ma réaction.

J'aurais pu tuer ma sœur, à ce moment-là. Je vous le jure. Si vous aviez vu ce qui s'est passé quand Kris a dit ça, vous me croiriez sur parole. Catherine, qui suivait la scène tout en rongeant un os de poulet, l'a brusquement fait tomber sur ses genoux. Les pom-poms girls, elles, se sont tues en même temps et m'ont regardée comme si j'étais un nouveau vernis à ongles ou quelque chose dans le genre. Même Jack, qui avait récupéré entre-temps ma part de gâteau, a posé sa cuillère sur la table et a dit :

— Tu peux pas faire ça...

— Jack a absolument raison, je ne peux pas faire ça, ai-je aussitôt renchéri. Je ne sors *pas* avec lui. Vous avez entendu ? Je ne sors *pas* avec le fils du président.

Mais Kris babillait encore :

— Ne t'inquiète pas, Sam. Je suis une tombe, je ne dirai rien à personne. Mais tu crois que les journalistes vont venir ? Je veux dire, à ma fête ? S'il y en a un qui veut m'interviewer, pas de problème. Ils peuvent même me prendre en photo.

Et pendant tout ce temps, Lucy a continué de feuilleter son magazine. Je n'en revenais pas.

— Hé ! s'est exclamée Lucy en comprenant enfin à l'expression de mon visage que j'étais folle de rage. Je n'y suis pour rien, moi ! C'est toi qui as été parcourue de frissons en le voyant, pas moi.

— Je n'aime pas David ! ai-je grommelé entre mes dents. C'est clair ?

— O.K., a fait Lucy. C'est juste que tu donnais l'impression d'en pincer... Aïe !

Après tout, si quelqu'un méritait d'être pincé, c'était ma sœur.

Dix moyens de savoir que vous êtes brusquement passée du côté de ceux avec qui il faut désormais compter :

10. Vous êtes invitée à l'une des célèbres fêtes de Kris Parks.

9. En E.P.S., le prof vous choisit comme capitaine d'équipe pour la première fois de l'année et, quand c'est à votre tour de désigner les joueurs qui se battront à vos côtés, les meilleurs vous supplient de les choisir.

8. Plusieurs filles du collège s'habillent tout à coup en noir.

7. Les Red Steppers du lycée – qui dansent pendant la mi-temps – vous demandent si vous connaissez un morceau de musique qui pourrait accompagner leur prochaine chorégraphie.

Et quand vous suggérez « Pink Elephant » des

Cherry Poppin' Daddies, elles vous prennent au sérieux.

6. En allemand, lorsque vous avouez que vous n'avez pas fini votre exercice, quelqu'un vous tend le sien.

5. Vous remarquez qu'un paquet de filles, qui se coiffaient jusqu'à présent comme votre sœur, arrangent leurs cheveux de façon à ce qu'ils évoquent l'espèce de champignon atomique qui se dresse au-dessus de votre tête.

4. Dans les couloirs du lycée, tous les élèves vous saluent au lieu de détourner le regard, comme auparavant.

3. Votre nom est écrit sur la couverture des livres et des cahiers des garçons du collège, avec des cœurs tout autour.

2. Mme Krebbetts vous offre une part de gâteau supplémentaire.

   Mais ce qui vous fait dire que vous êtes brusquement passée du côté de ceux avec qui il faut désormais compter, c'est que :

1. À la réunion d'information, quand le conseiller d'éducation demande comment dépenser le

budget alloué aux classes de seconde et que vous suggérez d'acheter de nouveaux pinceaux et du matériel pour les classes d'arts plastiques, votre proposition est appuyée, soumise au vote de l'assemblée générale... et l'emporte sur toutes les autres.

14

En deux heures, le bruit a couru dans tout le lycée que j'amenais le fils du président des États-Unis à la fête de Kris Parks samedi soir.

Curieusement, les gens semblaient s'intéresser davantage à cette nouvelle qu'au fait que j'aie empêché une balle d'atteindre la tête du président ou que j'aie été nommée ambassadrice. Si j'étais soulagée de ne plus être constamment félicitée pour mon acte de bravoure, je n'appréciais pas du tout de les entendre plaisanter sur ce qui avait pu se passer ou non entre le fils du président et moi.

— Tu te trompes complètement, m'a fait remarquer Lucy quand je lui en ai parlé le soir, dans la cuisine. Que vous formiez un couple, David et toi – ET NE ME PINCE PAS À NOUVEAU – ne peut que te servir, Sam. Tu es la nouvelle coqueluche du lycée. Si tu pouvais juste renoncer à t'habiller en noir, tu serais élue reine du bal de fin d'année.

— Je ne veux pas être élue reine du bal, ai-je répliqué, je veux juste que ma vie redevienne normale.

— À mon avis, c'est pas pour demain, est intervenu Jack.

Histoire d'appuyer sa remarque, il s'est tourné vers le jardin où des reporters pointaient leurs appareils par-dessus la clôture dans l'espoir de nous prendre en photo à travers la verrière.

— Jesu Cristo ! s'est exclamée Theresa avant de décrocher le téléphone pour appeler la police.

J'ai pris mon menton entre mes mains et j'ai poussé un soupir.

— Ce que je ne comprends pas, ai-je dit, c'est pourquoi tu as éprouvé le besoin d'en parler à tout le monde. Il ne s'est rien passé, Lucy, rien passé du tout, ai-je insisté pour que Jack entende bien et qu'il sache que, s'il changeait d'avis au sujet de ma sœur, j'étais libre.

— Comment veux-tu que je sache ce qui s'est passé ? s'est défendue Lucy. Tu refuses de me dire où vous êtes allés et ce que vous avez fait.

Je n'arrivais pas à croire qu'elle aborde ce sujet en présence de Jack. En même temps, elle n'était pas censée être au courant de mes sentiments pour son petit ami.

— Parce que ça ne te regarde pas ! me suis-je

écriée. Toi non plus tu ne me racontes pas tout ce que tu fais avec Jack !

— Ha ! s'est exclamée Lucy en pointant son index vers moi, un sourire triomphant aux lèvres. Je le savais ! Je savais que vous sortiez ensemble !

— C'est faux !

— Tu l'as dit !

— Non, je ne l'ai pas dit !

— Si, tu viens de le reconnaître. Tu as dit : « Toi non plus tu ne me racontes pas tout ce que tu fais avec Jack », ce qui signifie que vous faites exactement ce que nous faisons.

— Pas du tout ! Ça ne veut pas du tout dire ça...

Ma brillante argumentation a malheureusement été interrompue par Theresa qui, après en avoir fini avec la police, est allée chercher un paquet qu'un coursier venait d'apporter.

— C'est pour toi, a-t-elle dit en le déposant devant moi. De la Maison Blanche.

— Je suis sûre que ça vient de David, a déclaré Lucy. Je te l'avais dit que vous sortiez ensemble.

— Ça ne vient pas de David, l'ai-je corrigée en déchirant le papier d'emballage. Et on ne sort pas ensemble.

Il s'agissait en fait d'un dossier contenant toutes sortes d'informations sur mon nouveau rôle d'ambassadrice.

Voyant cela, Lucy est retournée à son magazine, manifestement déçue. Jack, lui, a dû trouver cela très palpitant car il s'est mis à feuilleter les documents les uns après les autres.

— Écoutez ça ! s'est-il exclamé au bout d'un moment. Ils vont organiser une exposition internationale. *De ma fenêtre*, c'est son nom, présentera des œuvres d'adolescents du monde entier dépeignant dans les matériaux de leur choix ce qu'ils voient tous les jours de leur fenêtre, a-t-il lu à voix haute.

Rebecca, qui pianotait sur son ordinateur portable à l'autre bout de la table, a relevé la tête et demandé :

— Et les adolescents qui n'ont pas de fenêtre ? Comme les adolescents extraterrestres qui sont retenus contre leur gré dans la zone militaire d'Area 51 ? Ça m'étonnerait qu'ils participent à cette exposition. Vous ne trouvez pas que c'est injuste ?

Comme d'habitude, personne ne l'a écoutée.

— Je crois que je vais m'inscrire ! s'est écrié Jack de plus en plus excité. Pourquoi tu ne participerais pas toi aussi, Sam. Ils exposent le tableau du vainqueur de chaque pays pendant tout le mois de mai au siège des Nations unies à New York. Ça représente une super-expo. Dès que tu es exposé à New York, c'est bon, ta carrière est faite.

J'ai fini de lire la lettre accompagnant la brochure de l'exposition avant de lui répondre :

— Je ne peux pas. Je fais partie du jury.

— Du jury ? a répété Jack. Mais c'est génial ! Parce que tu choisiras mon tableau et alors... À moi, New York !

Rebecca a levé à nouveau les yeux et a fixé Jack d'un air incrédule.

— Sam n'a pas le droit de faire ça, a-t-elle déclaré. Ce serait de la triche.

— Sauf si mon tableau est le meilleur, a rétorqué Jack.

— Et si ce n'est pas le cas ? a demandé Lucy.

Quelle teigne, celle-là ! On ne peut pas dire qu'elle soutenait l'amour de sa vie.

— Il le sera, a affirmé Jack avec assurance.

Et il avait raison : son tableau serait le meilleur. Les tableaux de Jack sont toujours les plus beaux. En tout cas, ils ont toujours été pris dans toutes les expositions où il s'était inscrit. C'est pourquoi, malgré ses mauvais résultats scolaires, j'étais sûre qu'à l'automne prochain Jack serait accepté à l'école de design de Rhode Island ou à Parsons ou même encore à Yale.

Catherine m'a appelée, dans la soirée, pendant que je faisais mon allemand.

— Alors, tu vas à la fête de Kris Parks ? m'a-t-elle demandé.

— Certainement pas.

— Pourquoi ?

— Parce que cette fille est odieuse. Tu es bien placée pour le savoir, non ?

Catherine n'a pas répondu tout de suite, puis elle a dit, au bout de quelques minutes :

— C'est vrai, mais j'ai toujours rêvé d'aller à une fête chez elle.

Quoi ? Je n'en revenais tellement pas que j'ai écarté le combiné de mon oreille pendant quelques secondes.

— Comment peux-tu dire une chose pareille après ce qu'elle t'a fait subir ?

— Je sais, a répondu Catherine d'une petite voix honteuse. Mais toutes les personnes qui sont allées à une fête chez Kris Parks racontent qu'elles ne se sont jamais autant éclatées. Elle m'a donné une invitation, à moi aussi, et j'envisageais d'y aller. Du moins, si tu y vas, toi.

— Je n'irai pas.

Catherine a marqué une pause avant de déclarer :

— Eh bien, j'ai quand même très envie d'y aller.

Je suis restée sans voix. Si Catherine m'avait annoncé qu'elle envisageait de se raser la tête et de rejoindre Hare Krishna, je n'aurais pas été plus surprise.

— Tu veux aller à la fête de Kris Parks ? ai-je hurlé si fort que Manet, qui dormait sur mon lit, la tête sur mes genoux, s'est réveillé brusquement et a dressé ses oreilles, sur le qui-vive. Catherine, est-ce que tu t'es par hasard de nouveau servie de ces marqueurs parfumés aux arômes de fruit. Je t'ai dit qu'ils...

— Sam, je suis sérieuse, m'a-t-elle coupée. On ne fait jamais des trucs d'ados normaux.

— C'est absolument faux. On a vu *La Mouette* le mois dernier.

— Sauf qu'on était les seules dans le public à ne pas avoir un frère ou une sœur sur scène. Tu ne comprends pas que pour une fois dans ma vie, j'ai envie de voir comment c'est d'être comme les autres. De faire partie d'une bande. Tu ne t'es jamais demandé comment c'était ?

— Je te rappelle, Catherine, que je vis avec une fille comme Kris Parks. Eh bien, je peux t'assurer que ce n'est pas drôle.

— J'ai peur qu'une autre occasion ne se présente pas.

— Catherine, Kris Parks est odieuse avec toi depuis que tu la connais, et tu voudrais aller chez elle ? Je suis désolée, mais...

— Sam, m'a interrompue à nouveau Catherine, toujours de sa toute petite voix. J'ai rencontré un garçon.

J'ai failli lâcher le combiné.

— Tu as quoi ?

— J'ai rencontré un garçon, a répété Catherine à toute vitesse, comme si elle n'oserait plus jamais le dire si elle ne le disait pas d'une traite. Tu ne le connais pas, il n'est pas au lycée. Il s'appelle Paul. Sa famille fréquente la même église que nous. Il est tout le temps fourré aux jeux d'arcade. Il est super gentil et a le meilleur score de nous tous à *Death Storm*.

J'étais tellement sous le choc que je n'ai rien trouvé à répondre que :

— Mais... et Heath ?

— Sam, je dois regarder la vérité en face, a déclaré Catherine avec un courage que je ne lui soupçonnais pas. Même si on se revoit, ça m'étonnerait qu'il sorte avec une fille qui est encore au lycée. En plus, il vit une partie de l'année en Australie. Quand veux-tu que j'aille en Australie ? Mes parents ne me laissent même pas aller à la galerie marchande toute seule.

— Et tu crois qu'ils vont te laisser sortir avec ce... Paul ?

— Eh bien..., a commencé Catherine. Paul ne m'a pas exactement proposé de sortir. Je crois qu'il est timide. C'est pour ça que je pensais l'inviter à la fête de Kris, tu comprends ?

Non, je ne comprenais pas du tout.

— Pourquoi ne lui proposes-tu pas d'aller au cinéma ou de prendre un pot ? Pourquoi dois-tu l'emmener chez Kris Parks ?

— Parce que Paul ne sait pas que je ne fais partie d'aucune bande. Il pense que je suis cool.

Je ne savais pas comment le lui dire, mais j'ai pensé qu'il fallait que je le fasse. N'est-ce pas à ça que servent les meilleures amies ? Je me suis lancée :

— Catherine, il comprendra tout de suite que tu n'appartiens à aucune bande dès que tu te trouveras devant Kris Parks et qu'elle t'enverra une vacherie devant lui.

— Elle ne le fera pas, a affirmé Catherine.

— Elle ne le fera pas ? ai-je répété. Sais-tu quelque chose sur Kris Parks que je ne sais pas ? S'est-elle convertie à une religion ou à une secte qui lui enseigne d'être charitable envers les autres ?

— Elle ne me dira rien de méchant si tu es là, Sam. Et que tu amènes David.

J'ai éclaté de rire. C'était plus fort que moi.

— David ? me suis-je écriée. Catherine, je ne vais pas à la fête de Kris Parks, et même si j'y allais, je n'amènerais *jamais* David. Je ne l'apprécie même pas. Tu le sais bien. Tu sais qui j'apprécie.

Je me suis retenue au dernier moment de prononcer le nom de Jack à voix haute au cas où Lucy aurait décroché l'autre téléphone, comme elle le fait régulièrement pour me dire qu'elle a un coup de fil urgent à passer.

De toute façon, il était inutile que je prononce son nom. Catherine savait de qui je parlais.

— Je sais, Sam, a-t-elle repris, de nouveau d'une toute petite voix. C'est juste que... si on réfléchit bien, c'est un peu comme avec Heath. C'est-à-dire Jack. Il ne vit pas en Australie, mais...

... mes chances de sortir avec lui sont quasi nulles. Catherine n'a pas eu besoin de me le dire. Je savais qu'elle le pensait.

Sauf qu'elle se trompait. Jack serait à moi un jour. Il fallait juste que je me montre patiente. Alors, il se rendrait compte que je suis – et que j'ai toujours été – la fille idéale pour lui.

Ce n'était qu'une question de temps.

Les dix signes qui prouvent que c'est moi et non Lucy que Jack aime et qu'il ne s'en est pas encore rendu compte :

10. Chaque fois qu'il me voit, il me demande si j'ai lu le dernier numéro d'*Art in America*. Il ne pose jamais la question à Lucy car il sait qu'elle ne lit que des magazines de mode.

9. Il m'a gravé le CD du chant des baleines – ce qu'aime écouter Jack quand il peint. D'accord, on les entend surtout crier, mais le fait qu'il s'est donné cette peine prouve son désir de créer un lien émotionnel avec moi.

8. Il a payé pour moi le jour où on est allés manger un cheese burger dans la galerie marchande et que j'avais oublié mon porte-monnaie.

7. Il m'a laissé manger toutes les oranges de sa boîte de fruits confits quand on est allés voir *Harry Potter* (Jack est contre la commercialisation des

personnages de livres d'enfant ; il a accepté de voir le film uniquement parce qu'il n'y avait plus de place pour Jackie Chan).

6. Il m'a dit un jour qu'il aimait bien le pantalon que je portais.

5. Il se plaint que Lucy passe trop de temps à se maquiller et m'a avoué qu'il préférait les filles naturelles. C'est-à-dire moi. Bon d'accord, je mets un peu de mascara. Et du gloss, aussi. Mais à part ça, je ne me maquille jamais.

4. Lorsque je lui ai parlé de ma théorie selon laquelle les gauchers avaient un jumeau au moment de leur conception, il a compris ce que je voulais dire. Lui-même est gaucher et s'est toujours senti seul au monde.

3. Quand le club de théâtre a demandé des volontaires pour peindre les décors de *Hello Dolly !*, on s'est proposés, Jack et moi, et on a peint le même lampadaire en contre-plaqué (Jack a fait le fond, moi les rehauts). Si c'est pas de l'amour, je ne sais pas ce que c'est.

2. Jack est Balance. Je suis Verseau. C'est connu que les Balances et les Verseaux s'entendent bien. Lucy, qui est Poisson, devrait sortir avec un Taureau ou un Capricorne.

Mais la preuve n°1 que Jack m'aime et ne le sait pas encore, c'est que :

1. *Fight Club* est son livre préféré. Juste après *Catch-22* et *Zen and the Art of Motorcycle Maintenance.*

15

Le mardi suivant, quand on est arrivées, Theresa et moi, à la hauteur de l'église de scientologie, on ne distinguait ni Capitol Cookies ni même Static, tellement les journalistes venus dans l'espoir de m'interviewer étaient nombreux.

Ne me demandez pas comment ils ont su l'heure de mon cours. Je suppose qu'ils ont cherché quand David venait, puisqu'ils savaient qu'on suivait le même cours de dessin (c'était dans les journaux, quand il a fallu expliquer pourquoi je me trouvais en même temps que Larry Wayne Rogers et le président devant chez Capitol Cookies).

Mais bon, passons. Je me fichais un peu de savoir comment ils avaient fait. De toute façon, depuis mon fameux « acte de bravoure », où que je sois, il y a des journalistes. Devant chez nous. Devant le lycée. Devant les jardins de la cathédrale quand j'ai commis l'erreur d'y aller avec Manet. Devant chez Potomac Video, où ils nous ont pratiquement tendu une embuscade, à Rebecca et à moi, le soir où on a rapporté son film préféré, *Rencontre du troisième type*.

Je comprends qu'ils aient un article à écrire et à rendre à une heure bien précise, mais je ne vois vraiment pas pourquoi je devrais en être le sujet. Après tout, ce n'est pas parce que j'ai sauvé la vie du président que je suis intéressante.

— Excusez-moi ! a hurlé Theresa en se garant en double file (il était peu probable que la voiture soit amenée à la fourrière avec la dizaine de journalistes qui l'encerclaient). Puis, me protégeant avec son imperméable léopard et se servant de ses bras et de son sac comme de machettes, elle nous a frayé un passage à travers la foule jusqu'à la porte de l'atelier de Susan Boone.

— Samantha ! a crié un reporter. Que pensez-vous du fait que Larry Wayne Rogers ait été jugé inapte à se présenter devant la cour pour cause de maladie mentale ?

— Samantha ! a crié un autre. À quel parti politique appartiennent vos parents ?

— Samantha ! L'Amérique veut savoir : Coca ou Pepsi ? a crié encore un autre.

— Jesus Cristo ! a hurlé Theresa à quelqu'un qui avait osé tirer sur son sac pour nous maintenir à portée de son micro. Lâchez mon sac tout de suite ! C'est un Vuitton, au cas où vous ne l'auriez pas remarqué !

Cinq minutes après, on entrait dans le hall de l'immeuble de Susan Boone... David et John étaient là, apparemment arrivés quelques secondes avant nous.

Theresa pestait encore contre le journaliste qui avait agrippé son sac pendant une bonne minute. John, le garde du corps de David, a essayé de la calmer. Puis il a appelé la police en renfort : un policier escorterait Theresa à sa voiture et les journalistes seraient retenus derrière des barricades quand nous ressortirions de l'immeuble.

J'ai jeté un coup d'œil à David. Il affichait le même petit sourire mystérieux que je lui connaissais. Il portait un tee-shirt Blink 182 sous une veste en daim, ce qui prouvait que ses goûts musicaux n'étaient pas, comme je craignais que les miens le soient, trop restrictifs. La couleur noire de son tee-shirt mettait en valeur le vert de ses yeux. À moins que ce ne soit l'éclairage de la cage d'escalier.

— Salut, m'a-t-il dit, son fameux sourire aux lèvres.

Je ne sais pas pourquoi, mais quelque chose dans ce sourire a brusquement fait faire un bond à mon cœur.

— Non, c'est impossible, ai-je aussitôt pensé. Mon cœur ne peut pas faire de bond en présence de David puisque c'est Jack que j'aime.

Pourquoi, dans ce cas, ai-je pensé à ce que Rebecca m'avait dit à propos de ce frisson ? Que se passait-il ?

Parlait-on de frisson quand, après qu'un garçon vous sourit, votre cœur fait un bond ?

Tout ce que je pouvais dire pour l'instant, c'est que j'étais bien contente que David ne fréquente pas le lycée et ne soit donc pas au courant des bruits qui couraient sur notre compte. Déjà que c'était pénible de frissonner devant lui, alors qu'il sache en plus ce que tout le monde au bahut savait, non merci !

L'idée que je puisse frémir pour un autre garçon que Jack m'a mise de très mauvaise humeur. À moins que ce ne soit la présence des reporters. Quoi qu'il en soit, au lieu de lui dire bonjour à mon tour, j'ai lâché :

— Ça ne te dérange pas d'être sans cesse harcelé par la presse ? C'est hyper angoissant, et toi, tu souris.

— Tu trouves que les journalistes sont angoissants ?

Il ne souriait plus à ce moment-là. Il riait aux éclats.

— Toi, la fille qui s'est jetée sur un homme armé ? a-t-il ajouté.

J'ai cligné des yeux. Quand il riait, David était encore plus mignon que lorsqu'il souriait.

J'ai vite réprimé ce genre de pensée et j'ai rétorqué, sur un ton très sérieux :

— Ce n'était pas angoissant du tout. Je l'ai fait parce qu'il fallait le faire. Tu aurais agi de la même façon à ma place.

— Je ne sais pas, a répondu David, songeur.

Sur ces entrefaites, l'escorte de Theresa est arrivée.

John a attendu son départ et nous a accompagnés jus-qu'à l'atelier de Susan Boone.

Mis à part un œuf qui trônait sur la table à la place des fruits, rien n'avait changé comparé à la dernière – et unique – fois où j'étais venue. Est-ce que Susan Boone avait oublié de manger cet œuf à midi ou Joseph ne s'appelait-il pas Joseph mais en fait Joséphine ?

— Alors, tu nous fais quoi, aujourd'hui ? m'a demandé David en s'asseyant sur le banc. Des ananas ou un fruit plus de saison ? Que penses-tu d'une orange ?

— Tu pourrais arrêter, s'il te plaît, avec cette his-toire d'ananas, ai-je rétorqué, mais pas trop fort pour que les autres ne m'entendent pas.

Comment avais-je pu frissonner devant un garçon qui passait son temps à se moquer de moi ?

— Désolé, a dit David, bien qu'il ne paraisse pas du tout désolé. La preuve, il continuait de sourire. J'ai oublié que tu étais une artiste sensible.

— Ce n'est pas parce que je refuse que ma sponta-néité créatrice soit piétinée par quelque despote de l'art que je suis sensible.

David a haussé ses deux sourcils en même temps.

— De quoi tu parles ? m'a-t-il demandé.

— De Susan Boone, ai-je répondu en lançant un regard mauvais à la reine des elfes. Et de son discours sur le dessine-ce-que-tu-vois. C'est bidon.

— Bidon ? a répété David.

Il ne souriait plus du tout. Il avait l'air déconcerté.

— Comment ça, bidon ? a-t-il repris.

— Où en serait l'art si Picasso avait dessiné ce qu'il avait vu ? ai-je murmuré.

David a cligné des yeux plusieurs fois.

— Picasso n'a fait que dessiner ce qu'il voyait, a-t-il déclaré. Pendant des années. Ce n'est qu'après avoir maîtrisé l'art du dessin avec une extrême précision qu'il a entrepris son travail d'expérimentation sur les lignes et l'espace.

— Quoi ?

Je n'avais rien compris.

— C'est pourtant simple, a repris David. Avant de vouloir changer les règles, il faut les connaître. C'est ce que Susan essaie de nous apprendre : dessiner ce qu'on voit avant de passer au cubisme ou à l'ananasisme ou à n'importe quel « isme » de son choix.

C'était à mon tour de cligner des yeux. Première nouvelle ! Jack ne m'avait jamais dit qu'il fallait connaître les règles avant de les enfreindre. Et Jack s'y connaissait pour les enfreindre. Ne cherchait-il pas continuellement à le faire en montrant aux gens – son père, les membres du country club, le proviseur du lycée – qu'ils se trompaient ?

Mais je n'ai pas eu le temps de répondre. Susan Boone venait de s'avancer vers le milieu de la salle et de frapper dans ses mains.

— Bonjour, tout le monde ! a-t-elle lancé. J'imagine que vous êtes tous au courant de ce qui s'est passé à deux pas d'ici la semaine dernière après le cours...

Gertie, Lynn et les autres ont ri doucement, et Susan Boone a poursuivi :

— Cet incident nous a valu à tous une vive émotion... plus vive peut-être pour certains, a-t-elle ajouté en me souriant. Mais grâce à Dieu, nous sommes tous présents aujourd'hui, et en bonne santé... Aussi, allons-nous pouvoir nous mettre au travail. Vous voyez cet œuf ? a-t-elle dit en indiquant l'œuf sur la table. Je voudrais que vous le peigniez. Ceux qui ne sont pas habitués à la peinture peuvent utiliser des crayons de couleur ou des craies.

J'ai regardé l'œuf – il était posé sur de la soie blanche –, puis j'ai examiné les crayons de couleur, posés à côté de moi. Il n'y avait pas de crayon blanc.

J'ai levé la main en poussant un soupir.

Dire que cette femme m'avait pratiquement menacée de chantage pour m'obliger à revenir à son cours, et qu'elle n'était même pas fichue de me fournir un crayon blanc ! Elle voulait que je dessine ce que je voyais, oui ou non ?

— Oui, Sam, a dit Susan Boone en s'approchant de moi.

— Je n'ai pas de crayon blanc.

— Je sais, a-t-elle répondu.

Et sur ces paroles, elle m'a souri et s'est éloignée.

À côté de moi, David semblait tout entier à son dessin, qu'il avait commencé dès la fin des explications de Susan Boone.

— Comment voulez-vous que je dessine un œuf blanc sur un tissu blanc si je n'ai pas de crayon blanc ?

Je ne tenais pas particulièrement à passer pour celle qui râle tout le temps, mais franchement, ce que Susan Boone cherchait à obtenir m'échappait. Étais-je censée travailler l'espace négatif, ne m'occuper que des ombres et laisser le reste de la feuille en blanc ?

Susan Boone a observé l'œuf pendant un moment, puis elle a dit la chose la plus surprenante que j'aie eu l'occasion d'entendre ces derniers temps. Pourtant j'en ai entendu des vertes et des pas mûres, dont les révélations de ma meilleure amie Catherine qui rêve de faire partie de la bande de Kris Parks.

— Je ne vois pas de blanc, a-t-elle déclaré très calmement.

Je l'ai dévisagée. Elle avait perdu la tête ou quoi ? Cet œuf et le tissu sur lequel il reposait étaient... aussi blancs que ses cheveux !

— Euh... pardon ? ai-je fait.

Susan Boone s'est penchée de façon à regarder l'œuf à la même hauteur d'yeux que moi.

— Rappelle-toi ce que je t'ai dit, Sam. Dessine ce que tu vois, pas ce que tu sais. Tu sais qu'il y a un œuf blanc sur un tissu blanc en face de toi. Mais vois-tu vraiment du blanc ? Ou vois-tu le reflet rose provenant du soleil à travers la fenêtre ? Ou le bleu et le pourpre des ombres sous l'œuf. Ou encore le jaune de la lumière qui vient du dessus et se reflète sur le sommet de l'œuf ? Et le vert pâle là où la soie est en contact avec la table ? Voilà les couleurs que je vois. Mais il n'y a pas de blanc. En tout cas, moi, je ne vois pas de blanc.

À aucun moment de son discours, je n'ai eu l'impression qu'elle cherchait à piétiner mon imagination créatrice et mon style. Tu dois connaître les règles avant de les enfreindre, m'avait dit David. Susan Boone essayait de m'apprendre à voir.

Aussi, ai-je regardé. Je me suis concentrée pour regarder. Jamais je n'avais regardé de cette manière.

Et j'ai vu.

Ça paraît idiot, je sais. Mais tout à coup, j'ai vu. J'ai vu une ombre pourpre sous l'œuf. J'ai vu le reflet rose qui provenait du soleil à travers la fenêtre. J'ai même vu la lumière jaune qui formait une minuscule lune sur le sommet de l'œuf. Je me suis alors empressée de prendre le premier crayon à ma portée et j'ai commencé à dessiner.

Quand on dessine, c'est comme si le monde autour de soi cessait d'exister. On est seul avec la page et le crayon. Quand on dessine, on perd conscience du temps ou de ce qui se passe autour de soi. Et quand on est content de ce qu'on dessine, on peut commencer à une heure de l'après-midi et ne pas lever les yeux avant cinq heures. On n'a même aucune idée du temps qui s'écoule. Quand on dessine, on est dans son monde à soi, dans sa propre création.

Ce qui explique pourquoi, quand on est super concentré et que quelque chose d'extérieur nous sort brusquement de notre monde, c'est pire que d'être dérangé par sa sœur, par exemple, venue emprunter une paire de ciseaux ou n'importe quoi d'autre alors qu'on apprend sa leçon de géométrie. Quand on dessine et que quelqu'un nous impose sa présence, le meurtre de cet être pourrait à mon avis être excusable.

Et quand l'être en question est un énorme perroquet, c'est encore plus excusable.

— Couac ! a crié Joe à mon oreille tout en m'arrachant une touffe de cheveux avant de s'envoler dans un battement d'ailes.

J'ai hurlé.

Je n'ai pas pu retenir mon cri. J'étais tellement plongée dans ce que je faisais que je ne l'avais pas entendu s'approcher. Bref, je ne hurlais pas tant parce que j'avais mal – quoiqu'un peu – mais parce que je ne m'y attendais pas du tout.

— Joseph ! a crié Susan Boone en frappant dans ses mains. Vilain oiseau !

Joe est rentré en vitesse dans sa cage, en sécurité, et a lâché ma touffe de cheveux avec un triomphant : « Bel oiseau ! Bel oiseau !

— Oh, non, tu n'es pas un bel oiseau ! l'a corrigé Susan Boone, comme s'il pouvait la comprendre. Tu es un vilain, un très vilain oiseau ! Samantha, je suis désolée, a-t-elle ajouté en se tournant vers moi. Il ne t'a pas blessée ?

Tout en tâtant mon crâne, j'ai remarqué le changement de lumière. Elle ne tirait plus vers le rosé. Le soleil s'était couché. Il était plus de cinq heures. Pourtant, on aurait dit que deux minutes à peine s'étaient écoulées depuis que j'avais commencé mon dessin.

— J'ai oublié de fermer sa cage, s'est excusée Susan Boone. Il faut que je pense à le faire quand tu es là. Je ne comprends pas pourquoi il est autant obsédé par tes cheveux. Ils sont brillants, certes, mais...

À ce moment-là, j'ai senti que le banc à côté du mien était secoué de tremblements. Je me suis tournée. David se tordait de rire.

— Excuse-moi ! Je suis désolé ! Mais si tu avais vu ta tête quand Joe s'est posé sur toi...

J'ai le sens de l'humour comme n'importe qui, mais là, je dois dire que je ne trouvais pas que la situation prêtait particulièrement à rire. Ça fait mal quand on vous arrache les cheveux. D'accord, moins que se casser le poignet, mais tout de même !

— Allez, reconnais-le ! a insisté David. C'était drôle !

Bien sûr, il avait raison. *C'était* drôle.

Mais avant que j'aie le temps de l'admettre, Susan Boone s'est approchée et a examiné mon dessin. Du coup, je l'ai observé à mon tour. Évidemment, je l'avais regardé pendant que je dessinais, mais c'était la première fois que je prenais du recul et que je le considérais vraiment.

Ce que j'ai vu m'a alors estomaquée. Car je voyais un œuf blanc, posé sur de la soie blanche, qui ressemblait comme deux gouttes d'eau à l'œuf devant moi.

Et pourtant, je n'avais pas utilisé le moindre crayon blanc.

— C'est parfait, a dit Susan Boone d'une voix pleine de satisfaction. Tu as compris, Sam. Je savais que tu comprendrais.

Elle m'a tapoté la tête d'un air distrait, là où son oiseau m'avait arraché des cheveux.

Mais ça ne m'a pas fait mal. Ça ne m'a pas fait mal du tout. Parce que je savais que Susan Boone disait vrai : j'avais compris.

J'avais enfin appris à voir.

Les dix tâches dont doit s'acquitter l'ambassadrice des Nations unies pour la jeunesse, à savoir moi, Samantha Madison :

10. M'asseoir dans le bureau du porte-parole de la Maison Blanche et l'écouter s'extasier devant l'indice de popularité du président, qui a explosé à la suite de la tentative d'assassinat ratée contre lui.

9. Écouter également le porte-parole maugréer contre la ville qui se plaint de la présence en surnombre de policiers devant notre maison.

8. Faire des photocopies du règlement de l'exposition *De ma fenêtre* pour tous mes amis artistes qui, en vérité, ne s'élèvent qu'à une seule personne : Jack Ryder, le petit ami de Lucy et mon âme sœur.

7. Envoyer des photos de moi, avec un autographe, à tous les gamins qui m'écrivent. J'avoue que ça

me dépasse que des enfants veuillent accrocher une photo de moi dans leur chambre.

6. Lire le courrier de mes fans (après qu'il a été passé aux rayons X et qu'on a vérifié qu'il ne contenait aucune lame de rasoir ou aucun explosif). Une grande partie de la population semble éprouver le besoin de m'écrire pour me dire à quel point ils me trouvent courageuse. Certains m'envoient même de l'argent. Malheureusement, cet argent est immédiatement versé sur un compte épargne pour payer mes études à l'université. Je ne peux même pas m'acheter de CD.

Je reçois aussi pas mal de lettres de pervers, mais je n'ai pas le droit de les lire. Le porte-parole de la Maison Blanche les garde dans un classeur spécial.

5. Bien que les Nations unies se trouvent à New York, personne jusqu'à présent n'a proposé de m'y accompagner. À New York, je veux dire. Apparemment, se rendre au siège des Nations unies ne fait pas vraiment partie des tâches dont doit s'acquitter l'ambassadrice pour la jeunesse.

4. Faire rebondir une Wham-O Superball contre le mur du bureau du porte-parole, histoire de passer le temps quand je suis coincée ici – ce qui va m'arriver tous les mercredis après-midi –, ne représente pas, techniquement parlant, une des

tâches de l'ambassadrice des Nations unies pour la jeunesse, mais vise uniquement à agacer le porte-parole. Il m'a confisqué la balle rebondissante en me disant qu'il me la rendrait quand je n'occuperais plus le poste. Il ne sait pas qu'on peut acheter des Wham-O Superball à tous les coins de rue, et pour moins d'un dollar.

3. Il est fortement déconseillé aux ambassadrices des Nations unies pour la jeunesse d'errer dans les couloirs de la Maison Blanche, même si elles connaissent les lieux car, si leur intention au départ était d'aller voir le portrait de Dolley Madison accroché dans le Salon vermeil, elles risqueraient de tomber sur une conférence pour la paix dans le monde.

2. Il est également fortement déconseillé aux ambassadrices des Nations unies pour la jeunesse de s'habiller en noir car, d'après le porte-parole, cela pourrait donner aux gens la fausse impression que leur ambassadrice pratique la sorcellerie.

Mais la tâche N°1 dont doit s'acquitter l'ambassadrice des Nations unies pour la jeunesse, c'est :

1. S'asseoir. Se taire. Et laisser le porte-parole de la Maison Blanche faire son travail.

16

— Il a dit oui !

Ce sont avec ces mots que Catherine m'a accueillie le jeudi matin quand je l'ai retrouvée au lycée. Je venais de jouer des coudes pour échapper à la centaine de reporters postés sur le chemin du bahut.

— Qui a dit oui ? lui ai-je demandé alors qu'on se dirigeait vers mon casier.

— Paul ! s'est-elle exclamée.

Voyant que je ne me rappelais pas de qui elle parlait, elle a paru blessée et a ajouté :

— Paul, dont je t'ai parlé l'autre jour. Peu importe. Ce qui compte, c'est qu'il a dit oui.

— Bravo, Catherine ! Tu es sur la bonne voie.

Sauf que je ne le pensais pas. Enfin, je le pensais et je ne le pensais pas. Ce n'était pas très gentil de ma part, j'imagine, et je ne l'aurais jamais dit tout haut, mais ça me faisait quand même bizarre que Catherine ait rendez-vous avec le garçon de ses rêves. Après tout, appeler un garçon et lui demander s'il voulait bien l'accompagner à une soirée avec elle était bien plus courageux qu'empêcher une tentative d'assassinat sur le président. Moi, je n'avais risqué que ma vie... et si je l'avais perdue, cela n'aurait pas été si grave puisque je serais morte et je ne le saurais même pas.

Tandis que Catherine avait risqué bien plus : elle avait risqué sa fierté.

Il est clair que je n'aurais jamais le courage de demander au garçon de mes rêves de sortir avec moi. D'abord, parce qu'il sort déjà avec ma sœur. Et puis... s'il disait non ?

— Ça t'ennuie si je dis à mes parents que je dors chez toi ? m'a demandé Catherine. Ils aiment bien Paul, mais... ils pensent que quinze ans, c'est un peu jeune pour aller à une fête avec un garçon.

— Pas de problème. Et si tu veux emprunter une robe ou un haut, viens en avance. On demandera conseil à Lucy. Elle adore ça.

Le visage de Catherine rayonnait. Je ne l'avais jamais vue aussi heureuse. Même si j'étais un peu jalouse, je ne pouvais pas m'empêcher d'être contente pour elle.

— C'est vrai, Sam ? a-t-elle demandé. Ce serait génial !

— Alors, qu'avez-vous décidé de faire ? Je veux dire, Paul et toi ?

Catherine m'a dévisagée comme si je venais de prononcer une énormité.

— On va à la fête de Kris. Pourquoi penses-tu que je l'ai invité ?

Je composais à ce moment-là le code de mon casier. Mais lorsque Catherine m'a annoncé qu'elle allait à la fête de Kris Parks, les nombres – 15, l'âge que j'ai ; 21, l'âge que j'aimerais avoir ; et 8, l'âge que je ne voudrais plus jamais avoir – me sont sortis de l'esprit.

— Vous allez à la fête de Kris ? ai-je répété. Tu l'emmènes à la fête de Kris ?

— Eh bien, oui, a répondu Catherine. On y va tous. Toi, moi, Paul et David.

— Quoi ?

Ce n'est pas le code de mon casier que j'ai alors oublié. C'est le numéro de la salle de cours où je devais aller, ce que j'avais pris pour le petit déjeuner, bref, tout ce que vous voulez, tellement sa réponse m'a abasourdie.

— Catherine, tu es sûre que tu n'as pas de fièvre ? Je ne t'ai jamais dit que j'irais à la fête de Kris Parks. En fait, je me souviens même très bien de t'avoir déclaré que je n'irais pas.

Le joli visage de Catherine qui, un instant plus tôt, rayonnait, s'est assombri sous le coup de la déception et – je ne pense pas me tromper – de la peine. Oui, de la peine.

— Mais Sam ! s'est-elle écriée. Tu dois venir ! Je ne peux pas aller à la fête de Kris Parks sans toi ! Tu sais très bien qu'elle m'a invitée uniquement parce qu'elle pense que tu viendras...

— C'est vrai, et Kris m'a invitée uniquement parce qu'elle pense que je viendrai accompagnée par une meute de journalistes et qu'on pourra voir sa face de rat à la télé. Sans parler, évidemment, de la présence de David.

Comment Catherine avait-elle pu se laisser prendre au piège ? Catherine, ma meilleure amie depuis le primaire.

— Sam, je ne peux pas y aller sans toi, a-t-elle répété, au bord des larmes. Si j'y vais sans toi, à tous les coups, tout le monde me demandera ce que je fais là.

— Tu aurais dû y songer avant d'inviter ton champion au *Death Squad*, ai-je rétorqué en ouvrant la porte de mon casier – j'avais enfin réussi à me rappeler le code.

— *Death Storm*, a corrigé Catherine. Je ne lui aurais rien demandé du tout si j'avais su que tu n'irais pas.

— Je te l'ai dit que je n'irais pas. Tu ne te rappelles pas ? De toute façon, mes parents ne sont pas d'accord. Même Lucy n'a pas le droit d'y aller.

— Mais elle ira quand même, a maugréé Catherine. Tu le sais très bien. Elle leur dira qu'elle va ailleurs, c'est tout.

— Ce n'est pas une raison. Par ailleurs, je n'ai pas intérêt à leur désobéir. Ils n'ont toujours pas digéré ma mauvaise moyenne en allemand. Ne crois pas qu'ils aient cessé de me surveiller...

— Sam, réfléchis, m'a interrompue Catherine, d'une voix tremblante. Grâce à ce que tu as fait, sauver la vie du président, tout peut changer pour nous.

Elle a regardé autour d'elle pour s'assurer que personne ne l'entendait puis elle s'est approchée tout près de moi et m'a confié :

— On peut ne plus être des exclues. On peut être acceptées par les amis de Lucy. Tu n'as pas envie de ça, Sam ? Tu n'as pas envie d'être comme elle ?

Je l'ai observée comme si elle déraillait complètement.

— Catherine, je sais ce que c'est qu'être Lucy, ai-je répondu. C'est danser sous la pluie à un match de foot, lire des magazines de mode et se séparer les cils avec une épingle de sûreté.

Ayant récupéré les cahiers dont j'avais besoin et accroché mon manteau, j'ai claqué la porte de mon casier en ajoutant :

— Je suis désolée, mais j'ai mieux à faire.

Catherine m'a regardée et j'ai vu que, si ses yeux noirs brillaient autant, c'est parce qu'ils étaient emplis de larmes.

— Oui, je comprends, a-t-elle dit. Mais que fais-tu de moi, Sam ? Kris Parks ne s'est jamais donné la peine de découvrir quelle fille se trouvait derrière les vêtements ridicules que je porte. Cette fête est pour moi l'occasion de leur montrer à tous qui je suis vraiment, c'est ma seule chance d'être écoutée. Tout ce que je te demande, c'est de me laisser la prendre.

La cloche a sonné mais je n'ai pas bougé. J'en étais incapable.

— Catherine, ai-je répondu, plus choquée par ses paroles que par les larmes qui les accompagnaient. Est-ce que tu... est-ce que tu te soucies autant de ce qu'ils pensent ?

Catherine s'est essuyé les yeux avec les manches en dentelles de son chemisier.

— Oui, a-t-elle avoué. Oui, Sam. Je ne suis pas comme toi. Je ne suis pas courageuse. Je me soucie énormément de ce que pensent les gens de moi. Je ne te demande pas grand-chose, juste de me laisser profiter de cette occasion de...

— Très bien.

Catherine a cligné des yeux plusieurs fois.

— Très bien... quoi ? a-t-elle dit.

Que pouvais-je faire d'autre ? Catherine était ma meilleure amie.

— Très bien, j'irai. Si c'est si important que ça pour toi, j'irai à la fête de Kris Parks.

L'ombre d'un sourire a éclairé son visage.

— C'est vrai ? Tu parles sérieusement ?

— Oui. Je parle sérieusement.

Catherine s'est jetée à mon cou et m'a serrée très fort contre elle.

— Tu ne le regretteras pas, m'a-t-elle assuré. Je suis sûre que tu vas t'amuser comme jamais !

Sur ces paroles, elle est partie en courant. Elle avait S.V.T. et était en retard.

J'aurais dû courir moi aussi, puisque j'étais également en retard à mon cours d'allemand. Mais je suis restée immobile. Pétrifiée. Dans quel pétrin m'étais-je fourrée ?

Je me posais toujours la question quelques heures plus tard en entrant chez Susan Boone jusqu'à ce que je voie sur mon banc un casque de l'armée décoré de marguerites blanches.

— Ça te plaît ? m'a demandé David.

Il souriait et, pour la seconde fois en l'espace de deux jours, son sourire a fait bondir mon cœur dans ma poitrine. S'agissait-il encore du « frisson » dont parlait Rebecca ?

Ou de la crêpe au fromage que j'avais mangée à midi ?

— J'ai pensé que c'était exactement ce qu'il fallait à une fille comme toi, a-t-il continué. Dans la mesure où tu ne cesses d'être attaquée par des oiseaux ou des hommes armés.

Ça ne pouvait pas être des brûlures d'estomac. Que mon cœur fasse des bonds pile au moment où David me souriait n'était pas une coïncidence. Il se passait autre chose. Quelque chose que je n'aimais pas du tout.

Essayant d'ignorer les battements de mon cœur, j'ai

enfilé le casque. Il était trop grand, mais ça allait, vu ma touffe de cheveux.

— Merci, ai-je dit, touchée qu'il se soit donné autant de mal.

C'était presque aussi cool que d'avoir mon nom gravé sur le rebord d'une des fenêtres de la Maison Blanche.

— C'est parfait, ai-je ajouté.

Ça l'était, effectivement. Et quand Joe s'est posé sur mon épaule, m'obligeant à arrêter de dessiner le rosbif que Susan Boone nous avait apporté, je n'ai rien dit, parce qu'il ne m'a pas fait mal. Il est resté là, sans bouger, tapotant de temps en temps le casque avec son bec en poussant des petits cris étonnés.

Tout le monde a ri, y compris David.

Plus je l'observais, plus je me disais que c'était le genre de garçon à ne pas se laisser embêter. Le genre de garçon capable de supporter des centaines de Kris Parks.

Ce qui explique sans doute pourquoi je me suis penchée vers lui juste avant qu'on dépose nos dessins sur le rebord de la fenêtre, et que je lui ai demandé tout doucement, si doucement que j'ai eu peur qu'il ne m'entende pas par-dessus les battements de mon cœur :

— Au fait, David, ça te dirait de m'accompagner à une fête samedi soir ?

Il a paru surpris, et l'espace d'une seconde, j'ai pensé qu'il allait refuser.

Mais il ne l'a pas fait. Il m'a souri et a répondu :
— Oui, bien sûr, pourquoi pas ?

Les dix raisons qui m'ont poussée à proposer à David de m'accompagner à la fête de Kris Parks samedi soir :

10. Un accès de folie dû au fait que j'ai trop respiré d'essence de térébenthine.

9. Par solidarité avec Catherine, qui semble être atteinte du syndrome de Stockholm dans la mesure où elle veut se lier avec une bande de gens qui n'ont cessé de l'humilier pendant des années – et est prête à essuyer la colère de ses parents en leur mentant pour aller avec un garçon qu'elle connaît à peine à une fête donnée par la chef de cette même bande.

8. Ses yeux.

7. Sa gentillesse, le soir où on est allés dîner à la Maison Blanche, et où il m'a permis de manger le meilleur hamburger de ma vie. Ah oui, et quand il a aussi gravé mon nom sur le rebord de la fenêtre.

6. Son allure ce soir-là, avec ses cheveux un peu ébouriffés, ses longs cils et ses grandes mains.

5. Le fait qu'il sache dessiner. Pas aussi bien que Jack, c'est vrai, mais presque aussi bien que moi. Peut-être même mieux que moi, mais dans un autre style. En plus, on voit qu'il aime vraiment dessiner et qu'il éprouve exactement ce qu'on éprouve, Jack et moi. La plupart des gens – comme ma sœur Lucy, par exemple – ne peuvent pas comprendre.

4. Le casque avec les marguerites.

3. Parce qu'il n'a pas le droit de se déplacer sans un garde du corps. Ce qui veut dire qu'il y aura au moins un adulte à la fête de Kris Parks et donc que mes parents nous laisseront y aller.

2. Tout le monde pense déjà qu'on sort ensemble.

Mais la principale raison pour laquelle je lui ai demandé de m'accompagner à la fête de Kris, c'est :

1. Pour rendre Jack jaloux. Qui sait si, en me voyant avec un autre garçon, il ne va pas se rendre compte qu'il risque de me perdre, s'il ne se dépêche pas. Ce qui pourrait lui ouvrir enfin les yeux sur ses vrais sentiments à mon égard.

Du moins, j'espère.

17

J'ai regretté le soir même d'avoir proposé à David de m'accompagner à la fête de Kris Parks.

J'ai regretté à cause de la réaction que la nouvelle a provoquée autour de moi.

Réaction n°1 : Lucy

— Mais c'est génial ! Vous formez un couple tellement adorable, avec David qui est si grand et toi si petite, sans parler de votre façon de vous coiffer, les cheveux qui rebiquent dans tous les sens. En plus, vous aimez le même genre de musique, non ? J'ai hâte d'y être ! Mais au fait, comment vas-tu t'habiller ? À mon avis, tu devrais mettre ma mini-jupe en cuir noir avec mon pull en cachemire vert, tu sais celui avec un col en V, plus des bas résille et mes cuissardes noires. Tu ne peux pas mettre tes Doc avec une mini-jupe, ça fait des gros mollets. Je ne dis pas que tu as de gros mollets, mais les mollets ne sont jamais à leur avantage avec des Doc et une mini-jupe. Finalement, les bas résille, c'est peut-être un peu trop pour une fille de quinze ans. Garde tes collants. On peut aller t'acheter une paire de collants à rayures, si tu veux. C'est à la mode et ça fera super. Tu veux que je t'organise un après-midi shopping, samedi avant la fête ?

Réaction n°2 : Rebecca

— Ah, je vois que la graine du frisson que j'ai plantée a germé et a donné un bourgeon prêt à fleurir.

Réaction n°3 : Catherine

— Oh, Sam, c'est extraordinaire ! Comme ça, Paul aura quelqu'un à qui parler lors de la soirée, parce qu'il ne connaîtra personne, comme David, d'ailleurs. Peut-être que David et lui pourront rester ensemble pendant qu'on fera connaissance avec les autres invités de Kris ? Il paraît que c'est important de se mélanger quand on va à une fête. Et puis, si on se mélange, on sera peut-être invitées à d'autres soirées. Qui sait, à des fêtes de terminales même ? Cela dit, je n'y crois pas trop. Mais si ça marchait, je veux dire, être invitées par des terminales, ça signifierait qu'on aurait autant la cote que Kris Parks.

Réaction n°4 : Theresa

— *Tu* lui as demandé ? Combien de fois, Samantha Madison, m'as-tu entendue dire à ta sœur de ne pas courir après les garçons. Ça finit toujours mal ! Regarde ce qui est arrivé à ma cousine Rosa. Que je ne te surprenne pas en train de l'appeler. C'est à *lui* de t'appeler. Et pas de *MSN* non plus. Il vaut mieux que tu gardes tes distances et un certain mystère. Si Rosa avait suivi mes conseils, elle n'en serait pas là aujourd'hui. Où a lieu cette fête, de toute façon ? Et les parents de cette fille, ils seront là ? Il y aura de l'alcool ? Je te préviens, Samantha Madison, si j'apprends que ta sœur ou toi, vous êtes allées à une fête où on servait de l'alcool, je vous obligerai à nettoyer les toilettes tous les jours jusqu'à votre entrée à l'université.

Réaction n°5 : Jack

— Le fils du président ? C'est pas un indic ?

Réaction n°6 : Mes parents (j'ai gardé le meilleur pour la fin)

— Oh, Sam, c'est merveilleux ! David est un garçon si délicieux ! Nous ne pouvions pas rêver mieux ! Si seulement ta sœur se montrait aussi raisonnable que toi dans le choix de ses petits amis. À quelle heure passe-t-il te chercher ? Il faut que nous vérifiions qu'il y a bien une pellicule dans l'appareil-photo. Juste quelques photos, c'est tout. Il faut bien immortaliser l'événement. Notre bébé qui sort avec un garçon aussi adorable. Et si bien élevé. Sais-tu qu'il va à Horizon, ce qui signifie qu'il a un Q.I. exceptionnel. Il ira loin. Qui sait s'il ne marchera pas sur les traces de son père ? Quel garçon délicieux. Ah, pourquoi Lucy ne s'est-elle pas trouvé un garçon aussi charmant à la place de cet odieux Jack ?

Quelle humiliation ! C'est bien de moi, ça, choisir pour mon premier rendez-vous un garçon qui plaît à mes parents ! Non seulement David n'est pas tatoué (du moins, autant que je le sache) et ne conduit pas de Harley Davidson (à nouveau, ce n'est que pure supposition de ma part, mais ça m'étonnerait quand même), mais il est LE FILS DU PRÉSIDENT DES ÉTATS-UNIS.

Vous connaissez quelque chose de plus nul ? Je sais qu'on ne choisit pas ses parents, mais tout de même ! Au lieu de la mère célibataire qui vit d'aides sociales ou du père criminel, moi, les parents du garçon avec qui j'ai rendez-vous sont toujours mariés et forment le couple le plus influent du pays.

Franchement, il n'y a pas de justice.

Du coup, j'ai essayé de noircir le tableau en disant à mes parents que David venait me chercher avec SA voiture (ce qui est faux, évidemment ; c'est John qui conduira puisque dans le district de Columbia, il faut avoir dix-huit ans pour passer le permis et David n'en a que dix-sept). Puis je leur ai annoncé que David m'avait proposé de dîner en TÊTE À TÊTE avant de nous rendre à la fête (encore une fois, ce n'est pas tout à fait vrai ; David ne se déplace pas sans garde du corps).

Mais ni mon père ni ma mère n'a tiqué. Sous prétexte que David est le fils du président, ils lui font confiance ! Jamais ils ne laisseraient Lucy aller à une fête seule avec Jack, sans des heures d'affrontement. Et s'ils ont capitulé aussi vite, c'est parce qu'ils savaient que je serais là... ainsi que David et son garde du corps. Mais tout de même ! Moi ! Sa petite sœur ! Celle qu'ils considèrent comme sérieuse. Malgré toutes mes tentatives pour les convaincre du contraire – m'habiller tous les jours en noir, vendre mes portraits de stars –, ils persistent à penser que je suis, de leurs deux filles, celle sur qui ils peuvent compter !

Et laissez-moi vous dire qu'avoir sauvé le président puis être nommée ambassadrice des Nations unies pour la jeunesse n'a pas arrangé mes affaires.

Et si je cessais de travailler en allemand, histoire d'avoir une note pire que le mois dernier ?

Vu le comportement de mes parents ces derniers temps, il est tout à fait possible qu'ils disent : « Sam a eu un avertissement en allemand, ce mois-ci. C'est adorable, n'est-ce pas ? »

Bref, le soir de la fête, ils ont mis à exécution leur menace : dès que David a sonné, ils se sont postés dans le salon, l'appareil-photo prêt à servir. Catherine était arrivée et déjà repartie. Après être passée entre les mains de Lucy, qui l'avait transformée en gravure de mode, elle avait rejoint Paul aux jeux d'arcade. Ils devaient nous retrouver un peu plus tard chez Kris.

— S'il te plaît, pardonne-leur, ils ne savent pas ce qu'ils font, ai-je glissé à David tandis que je lui ouvrais la porte.

David, qui portait un jean et un sweat-shirt noir, a paru légèrement inquiet, mais après avoir vu mes parents, il s'est détendu.

— Oh, a-t-il fait, comme s'il avait l'habitude que les parents des filles avec qui il sortait l'attendent avec un Olympus à la main. Bonsoir, monsieur et madame Madison.

Histoire de me mettre encore plus dans l'embarras, Manet, tout excité à l'idée de rencontrer quelqu'un de nouveau, a surgi de la cuisine et a enfoui son museau entre les jambes de David.

— Je suis désolée ! me suis-je exclamée en écartant Manet.

David lui a donné une tape sur la tête.

— C'est bon, a-t-il dit. J'aime beaucoup les chiens.

Puis, ça a été au tour de Lucy : elle a descendu l'escalier dans sa tenue de soirée avec des allures de grande star, et a lancé :

— Oh, David, c'est toi ! Je pensais que c'était mon fiancé, Jack. Tu feras sa connaissance à la fête. Je suis sûre que vous allez vous entendre. Jack est un artiste, lui aussi.

Rebecca enfin est arrivée. Elle a observé David puis elle m'a regardée et a dit : « Oui. On peut parler de frisson », avant de regagner sa chambre à l'étage.

Si ma famille avait décidé de me faire honte, elle n'aurait pas agi autrement.

Une fois dehors, à l'abri de leurs remarques, David m'a demandé :

— C'est quoi, cette histoire de frisson ?

— Ha ! Ha ! Ha ! me suis-je esclaffée. Je ne sais pas. Ça doit être quelque chose qu'elle a appris à l'école.

David a froncé les sourcils.

— Je vais à la même école qu'elle, et je n'en ai jamais entendu parler.

Il fallait vite que je change de sujet ! Du coup, j'ai poussé de hauts cris en arrivant près de la voiture. Si je n'avais pas suivi tous les conseils de Lucy – je portais mes vêtements, une jupe noire qui m'arrivait aux mollets, mes Doc et un pull qui, s'il avait un col en V, était noir –, je me rappelais quelques-unes de ses remarques, dont celles concernant la voiture du garçon. « Extasie-toi sur sa voiture. Les garçons sont obsédés par leurs voitures. »

Sauf que ça ne devait pas s'appliquer à tous les garçons car après m'avoir laissé manifester mon amour pour les berlines à quatre portes, David m'a observée d'un air dubitatif et a dit :

— Euh... Elle n'est pas à moi, tu t'en doutes bien. Elle appartient aux services de sécurité.

— Oh, ai-je fait.

C'est alors que j'ai aperçu John, accoudé à la portière. Une voiture quasi identique était garée quelques mètres plus loin, avec deux agents des services de sécurité assis à l'intérieur.

J'ai senti qu'une explication était nécessaire.

— C'est ma sœur qui m'a dit que les garçons adoraient quand les filles s'extasient sur leur voiture.

— Oui, ça ne m'étonne pas. Elle a bien le genre.

À ce moment-là, un reporter a brusquement bondi vers nous en criant : « Samantha ! David ! Ils sont là ! », et nous a mitraillés avec son appareil-photo.

Je n'ai pas vu ce qui se passait après à cause des flashs qui m'éblouissaient, mais j'ai entendu une voix grave dire : « Je garde ça », puis le bruit d'un objet qu'on écrase. Une minute après, quand j'ai ouvert les yeux, je me suis rendu compte que la voix grave appartenait à l'un des gardes du corps. Il remontait dans la voiture garée derrière celle de David. Le reporter, lui, se tenait à quelques mètres de nous, sur le trottoir d'en face, l'air triste, son appareil-photo en pièces entre les mains. Il marmonnait quelque chose sur la liberté de la presse.

John a ouvert la porte de la première berline et a dit, gêné :

— Je suis désolé pour ce qui vient de se passer.

Je me suis installée à l'arrière sans un mot. De toute façon, qu'est-ce que j'aurais pu dire ?

David est monté de l'autre côté et a fermé la portière. L'intérieur de la voiture était très propre et sentait le neuf. Je déteste l'odeur des voitures neuves. J'ai songé à baisser la vitre et puis j'ai renoncé. Il faisait trop froid.

John s'est glissé derrière le volant.

— Prêts à partir ? a-t-il demandé.

— Moi, oui, a répondu David en me jetant un coup d'œil. Et toi ?

— Euh... oui.

— C'est bon, a déclaré David.

— Parfait. On y va alors, a répliqué John.

Au moment où la voiture démarrait, j'ai détourné la tête : mes parents se tenaient sur le perron de la maison et nous faisaient signe. Comme nous prendre en photo, David et moi, était manifestement interdit, un reporter qui avait réussi à échapper à la vigilance des services de sécurité, s'était rabattu sur eux. Il ne restait plus qu'à espérer qu'ils apprécient de se voir à la une de *USA Today* ou d'un autre journal du même genre.

À l'intérieur de la voiture, le silence régnait. Un silence gênant. « Il y a trois sujets que tu peux aborder avec un garçon », m'avait expliqué Lucy, bien que je ne l'aie nullement consultée sur la question. Le premier, c'est lui. Le second : toi et lui, et le troisième, toi. Commence par lui, puis glisse lentement vers toi et lui, et enfin, amène la conversation sur toi. Et n'en bouge plus. »

Pour une raison ou pour une autre, je me sentais

incapable de suivre ces conseils. Le fait que mes cris enthousiastes au sujet de la voiture soient tombés à côté de la plaque m'avait un peu refroidie. Finalement, en sortant avec le fils du président des États-Unis, je pénétrais en terre inconnue, même de Lucy, ce qui était tout dire. Bref, j'allais devoir me débrouiller toute seule.

En même temps, aussi angoissante que soit la situation, j'étais sûre de pouvoir m'en tirer convenablement. Après tout, ce n'était pas comme si j'étais avec Jack.

— Euh..., je suis désolée pour mes parents, me suis-je excusée alors que John s'engageait dans la 34ᵉ Rue.

David a éclaté de rire.

— Ce n'est pas grave. Dis-moi plutôt où tu veux aller ? Tu as envie de manger quoi ?

Dans la mesure où je n'aime manger qu'une chose – des hamburgers –, je ne savais pas très bien comment répondre à la question.

— J'ai réservé dans deux, trois restaurants, a continué David. Le Vidalia, il paraît que c'est sympa, et le Four Seasons. Je ne sais pas si tu connais. Ah oui, et le Kinkead aussi, mais je crois qu'ils ne servent que du poisson...

La panique s'est emparée de moi. Des réservations ? David avait réservé dans plusieurs restaurants ? Jamais je ne trouve un plat qui me plaît dans les restaurants où il faut réserver.

Je ne sais pas si David a deviné à l'expression de mon visage que l'inquiétude me gagnait, ou si c'est mon silence qui lui a mis la puce à l'oreille, mais il s'est empressé d'ajouter :

— On peut aussi laisser tomber les réservations et aller dans une pizzeria. J'ai entendu parler d'un endroit à la mode. Ça s'appelle *Chez Luigi*.

Là où Lucy et sa bande avaient rendez-vous avant d'aller chez Kris Parks. Même si on devait tous les retrouver dans quelques heures, l'idée d'être en leur compagnie avec David, tout en sachant de quoi ils parleraient, m'a paru insupportable. En plus, Jack serait là. Comment écouter David me parler avec Jack à quelques mètres de moi ?

— Ou bien, a repris David en me jetant un autre coup d'œil, on peut aller manger un hamburger...

— Oui, ce serait parfait, ai-je aussitôt répondu en m'efforçant de donner à ma voix une certaine nonchalance.

— Très bien. Va pour les hamburgers, a déclaré David avec l'un de ses petits sourires mystérieux. John, conduis-nous chez Jake. Tu peux nous mettre aussi un peu de musique, s'il te plaît ?

— Bien sûr.

John a appuyé sur un bouton et... j'ai reconnu la voix de Gwen Stefani.

No Doubt. David était fan de No Doubt.

J'aurais dû m'en douter, bien sûr. Quand on aime Reel Big Fish, on aime No Doubt. C'est obligatoire.

En même temps, ça m'a fait bizarre que David écoute Gwen en voiture. Parce que si j'avais une voiture à moi, c'est ce que j'écouterais aussi.

Et ce qui m'a paru encore plus bizarre, c'est que mon cœur a recommencé à faire ses petits bonds. Je ne plaisante pas. Dès que j'ai entendu la voix de Gwen, il a bondi contre ma poitrine. Pas à cause de Gwen, non, mais parce que je découvrais que David aimait bien Gwen. Est-ce que c'était à ça que pensait Rebecca quand elle parlait de frisson ?

Mais comment pourrais-je frémir pour quelqu'un alors que mon cœur appartenait à un autre ? Ça n'avait aucun sens. Si j'avais demandé à David de m'accompagner, c'était pour faire plaisir à Catherine. Et peut-être aussi pour rendre Jack jaloux. Parce que j'aimais de toutes les fibres de mon cœur le petit ami de ma sœur, et un jour, il comprendrait que c'était moi, et non Lucy, la femme de sa vie.

Alors, pourquoi je frémissais ?

Du coup, j'ai décidé d'ignorer cette curieuse sensation, et vous savez quoi ? Pendant un moment, ça a marché.

Attention, je ne dis pas que je ne me suis pas amusée. Au contraire, même. *Chez Jake*, le restaurant où on est allés, était exactement le genre d'endroit pour moi. Un boui-boui peu éclairé aux tables poisseuses. Personne ne se souciait du fait que j'avais sauvé la vie du président ou que David était son fils, parce que personne ne nous prêtait attention, à l'exception des serveuses, bien entendu, et de John et des deux agents des services de sécurité, assis à l'écart.

Je n'ai même pas eu besoin de me demander de quoi nous allions parler. David m'a raconté des tas d'anecdotes sur les touristes qui venaient visiter la Maison Blanche – il leur arrivait souvent d'oublier des objets, comme des appareils dentaires, des lunettes. Une fois, il y en a même un qui a oublié son jean ! Après ça, la conversation a suivi naturellement son cours.

Et quand les hamburgers sont arrivés, j'ai constaté avec joie qu'ils étaient légèrement brûlés sur le bord, comme je les aime, et que personne n'y avait ajouté de tomates, d'oignons ou de laitue. Quant aux frites, elles étaient croustillantes à souhait et pas grasses du tout.

David m'a ensuite raconté que, lorsqu'il était petit et qu'il devait mettre la table, il remplaçait systématiquement la fourchette et la cuillère par les couverts à salade. Et chaque fois, ses parents éclataient de rire, même s'il leur jouait le même tour tous les soirs.

Inspirée par son récit, je lui ai alors raconté qu'un jour, au Maroc, j'avais jeté toutes les cartes de crédit de mon père dans les toilettes. Catherine est la seule à être au courant. Si ce n'était pas aussi mignon que le coup des couverts à salade, ça a fait rire David quand même.

Puis, il m'a avoué qu'il en avait voulu à ses parents de l'obliger à quitter ses anciens amis quand ils s'étaient installés à Washington, D.C., et qu'il détestait Horizon. Un, tous les élèves avaient l'esprit de compétition et deux, les profs mettaient tellement l'accent sur les sciences et non les arts plastiques que ceux qui aimaient dessiner, comme lui, étaient déconsidérés.

Je lui ai dit que je vivais plus ou moins la même chose au lycée, sauf que là, c'est le sport qui est mis en valeur. Je lui ai raconté aussi que j'avais dû suivre des séances d'orthophonie, et que tout le monde se moquait de moi. Et puis, de fil en aiguille, je lui ai parlé de mes portraits de stars, qui m'avaient valu une mauvaise moyenne en allemand et mon inscription aux cours de Susan Boone.

C'est à ce moment-là que les genoux de David ont rencontré les miens sous la table. Il s'est aussitôt excusé et a replié les jambes. Puis, cinq minutes après, ils sont de nouveau entrés en contact avec les miens.

Sauf que cette fois, David n'a pas bougé. Ni ne s'est excusé. Je ne savais comment réagir. Lucy n'avait pas mentionné ce genre d'incident dans la liste des choses susceptibles de m'arriver.

Mais j'ai senti que le frisson revenait. On aurait dit que je prenais brusquement conscience que David était un garçon. Bien sûr, je l'ai toujours su, mais quand ses genoux ont touché les miens – et n'ont pas bougé –, ça m'a fait un choc.

Et ce n'est pas tout ! Je ne savais plus quoi dire, je n'osais plus croiser son regard non plus, comme si ses yeux étaient trop verts. Sans compter que j'avais soudain trop chaud.

Bref, je ne comprenais pas ce qui m'arrivait. La seule chose dont j'étais sûre, c'est que je n'avais rien ressenti de tel avant que ses genoux ne rencontrent les miens. Du coup, je me suis légèrement écartée en me disant que, si je brisais le contact, les choses iraient peut-être mieux.

Ça a été plus ou moins le cas, car David m'a regardée, sans sourire cette fois, et a dit :

— Ça va ?

— Bien sûr ! ai-je répondu d'une voix bien plus aiguë que d'habitude. Pourquoi tu me demandes ça ?

Il a observé mon visage de ses yeux verts d'une manière que j'ai trouvée alarmante.

— Je ne sais pas. Tu es... toute rouge.

C'est alors que j'ai eu la brillante idée de jeter un coup d'œil à ma montre.

— Oh, mon Dieu ! Tu as vu l'heure ? On ferait mieux de partir maintenant si on ne veut pas être en retard.

J'ai alors eu l'impression que David se serait bien passé de la fête. Moi pas. Je voulais y aller, et vite. Parce qu'une fois là-bas, je serais débarrassée de ce frisson.

Et parce qu'à la fête, il y aurait Jack.

18

— Ah ! Vous êtes venus ! a dit Kris Parks quand elle a ouvert la porte et qu'elle nous a vus sur le perron.

En fait, elle ne l'a pas vraiment dit. Elle l'a hurlé.

J'aurais dû m'en douter. J'aurais dû le savoir qu'ils réagiraient tous de la même manière.

Dans la voiture, alors qu'on était en chemin, David m'avait demandé qui organisait cette fête. Mes explications ne devaient pas être très claires – la raison tenant essentiellement au frisson que je continuais toujours d'éprouver –, car il avait déclaré :

— Attends, laisse-moi récapituler. Cette fête est organisée par une fille que tu n'aimes pas, et qui a par ailleurs invité des gens que tu ne connais pas. Pourquoi y allons-nous, dans ce cas ?

Quand je lui ai confié que c'était à cause de ma meilleure amie Catherine, il s'est contenté de hausser les épaules et de lâcher un vague : « O.K. »

Même s'il n'a rien laissé paraître quand tout le monde s'est tu à notre arrivée, puis s'est mis à parler à voix basse, j'ai deviné qu'il savait. Et pas seulement à cause du frisson, mais à cause de son petit sourire qu'il affichait de nouveau... comme s'il se retenait de ne pas éclater de rire. Oui, c'est ça : il se retenait de ne pas éclater de rire devant tous ces crétins du lycée qui ne le quittaient pas des yeux.

Au moins, lui, il pouvait en rire, tandis que moi, je n'avais guère d'autre choix que rougir. Ce que je ne comprenais pas, c'est pourquoi ? Après tout, je n'éprouvais rien pour ce garçon. Je l'aimais bien comme un copain, c'est tout.

— Je me présente : Kris, a dit Kris en tendant la main à David.

Elle portait une robe en jean super-courte, comme en plein été.

David a serré la main de la fille qui tous les jours faisait de ma vie un enfer.

— Bonsoir.

— Jamais je ne te remercierai assez d'être venu, a continué Kris. C'est un honneur pour moi de faire ta connaissance. Ton père dirige tellement bien ce pays. Tu sais, j'étais trop jeune pour voter, mais j'ai distribué des tracts en son nom.

— Merci, a répondu David, toujours en souriant mais en donnant de plus en plus l'impression qu'il aimerait bien récupérer sa main. C'est très gentil de ta part.

— Sam et moi sommes les meilleures amies de la terre. Elle te l'a dit ? Depuis la maternelle.

Quel toupet ! Je n'en revenais pas. J'ai failli intervenir et rectifier ce mensonge, mais Catherine est arrivée sur ces entrefaites.

— Qu'est-ce que je suis contente que vous soyez là, a-t-elle murmuré à mon oreille. Tu ne peux pas imaginer. Personne ne nous a adressé la parole, à Paul et à moi. Je suis tellement gênée ! Qu'est-ce que va penser Paul ?

J'ai jeté un coup d'œil à Paul. Que personne ne leur parle ne semblait pas du tout l'embêter. Il couvait Catherine des yeux. Il faut dire qu'avec son jean noir et son top en soie, elle était adorable.

Je me suis tournée vers David – il avait enfin réussi à se débarrasser de Kris – et je lui ai demandé :

— Tu veux un Coca ou autre chose ?

— Pardon ? a-t-il fait en portant une main à son oreille tellement la musique – du ska, évidemment – était forte.

— Coca ?

— Oui ! J'y vais !

— Non, laisse ! Je m'en occupe !

À quelques pas de nous, le dos contre le mur, John cherchait à se faire le plus discret possible.

— J'en prends un aussi pour John, ai-je ajouté. Ne bouge pas. Je reviens.

Je me suis frayé un passage à travers la foule en direction du buffet, ou du moins de là où je pensais qu'il devait être, vu le monde qui s'entassait dans ce coin de la pièce. Je dois avouer qu'échapper un moment à David ne me déplaisait pas trop. C'était tellement bizarre ce qui se passait entre nous. Je ne sais pas exactement de quoi il s'agissait, mais j'étais certaine d'une chose : je n'aimais pas ça.

Alors que j'avançais tant bien que mal au milieu de tous ces gens qui parlaient fort, qui riaient et qui bougeaient dans tous les sens, je me suis dit : « Est-ce que c'est ça que j'ai raté en ne faisant pas partie de leur bande ? Des maisons bruyantes, des êtres odieux et une musique qui braille tant qu'on ne peut même pas comprendre les paroles ? Franchement, je préfère passer la soirée à regarder *Nick et Nite* à la télé en mangeant une tranche napolitaine ! »

Une fois arrivée au buffet, je n'ai trouvé que des jus de fruits et de la bière.

Après avoir appris qu'il y avait du Coca dans le réfrigérateur de l'office, la pièce attenante à la cuisine, j'ai recommencé à jouer des coudes et je suis enfin arrivée à destination.

Ma sœur et Jack s'embrassaient, adossés à une porte.

En me voyant, Lucy a poussé un cri.

— Tu es là ! Comment ça se passe ? Où est David ?

— Dans le salon. Je suis venue prendre des Cocas.

— Idiote ! a lâché Lucy. Ce n'est pas à toi de le faire. C'est lui qui est censé t'apporter à boire. Enfin bref... Ne bouge pas. Je vais chercher les filles.

Par filles, elle voulait dire le reste de la bande des pompom girls.

— Lucy, s'il te plaît, ai-je murmuré. Pas ce soir.

— Oh, ne sois pas rabat-joie ! Reste là avec Jack. Je reviens tout de suite. Il y a quelques personnes ici qui meurent d'envie de rencontrer le fils du président...

Et avant que j'aie le temps de répondre, elle s'est sauvée et m'a laissée seule avec Jack.

Il me regardait d'un air songeur par-dessus le rebord du verre en plastique qu'il venait de vider d'un trait.

— Alors, a-t-il fait. Comment ça se passe ?

— Bien, ai-je répondu. Très bien, même. Mardi soir, chez Susan Boone, on a dessiné un rosbif, et tu sais quoi ? C'était génial. Je n'avais jamais vraiment regardé un morceau de viande avant. Il y a des tas de choses...

— Formidable, a déclaré Jack sans se rendre compte qu'il me coupait la parole. Tu as reçu mon tableau ?

Je l'ai regardé en fronçant les sourcils.

— Quel tableau ?

— Celui que je propose pour l'exposition *De ma fenêtre*.

— Oh ! Non. Enfin, je ne sais pas. Mais je suis sûre qu'il est arrivé. Je ne l'ai pas vu, c'est tout. D'ailleurs, je n'en ai vu aucun.

— Tu vas adorer, a repris Jack. Ça m'a pris trois jours. C'est mon plus beau tableau.

Il me l'a alors décrit dans les moindres détails. C'est à ce moment-là que David est apparu dans l'encadrement de la porte.

Mon visage s'est aussitôt éclairé. Je n'ai rien pu y faire. Même si l'objet de mon affection se tenait à mes côtés, j'étais contente de voir David. Sans doute à cause de son histoire de couverts à salade. En tout cas, ça n'avait rien à voir avec un quelconque frisson. Rien à voir du tout.

— Hé ! a lancé David, son habituel sourire aux lèvres. J'avais peur que tu aies disparu !

— David, je voudrais te présenter le copain de ma sœur, Jack. Jack, voici David.

Jack et David se sont serré la main. Je me suis aperçue à ce moment-là que, mis à part la taille et la couleur des cheveux, ils ne pouvaient pas être plus différents l'un de l'autre : Jack avait les cheveux longs jusqu'aux épaules, un treillis et un immense sweat noir. Les cheveux de David ne dépassaient pas l'encolure de sa chemise et il s'habillait de manière beaucoup plus classique.

— David est avec moi au cours de dessin de Susan Boone, ai-je dit, histoire de briser le silence gênant qui avait immédiatement suivi les présentations.

Jack a écrasé son verre dans le creux de sa main.

— Tu veux parler de ton cours de conformité ?

David a sursauté. Pas étonnant. Jack est quelqu'un

de très intense. Il faut un peu de temps pour s'habituer à lui.

— Non, Jack, en fait, ce n'est pas du tout ça, me suis-je dépêchée d'affirmer. Je me suis complètement trompée sur Susan Boone. Elle veut juste nous apprendre à dessiner ce qu'on voit avant de nous laisser libres de travailler comme on l'entend. On doit d'abord connaître les règles pour pouvoir ensuite les transgresser.

— Quoi ? s'est exclamé Jack en me dévisageant.

— Si, si, Jack. Tiens, prenons Picasso, par exemple. David m'a expliqué que Picasso avait passé des années à dessiner tout ce qu'il voyait, et ce n'est qu'une fois qu'il a maîtrisé sa technique qu'il a commencé à expérimenter la couleur et la forme.

— Ça me renverse que tu adhères à ce genre de foutaises pédago, Sam, a-t-il lâché, avec un geste de mépris.

— Pardon ? a fait David.

Jack l'a toisé en haussant les sourcils.

— Je ne crois pas m'être adressé à toi, monsieur le fils du président.

— Jack ! me suis-je exclamée, choquée.

Jack est un grand artiste et, en tant que tel, il possède en lui une énergie créatrice qui peut parfois être fatigante (je suis bien placée pour le savoir. Mais ce n'est pas une raison pour être grossier).

— Qu'est-ce qui t'arrive ?

— Qu'est-ce qui m'arrive ? a-t-il répété en éclatant

de rire, bien qu'il ne donne pas l'impression de trouver la situation très drôle. Là n'est pas la question. La question, c'est plutôt de savoir ce qui t'arrive, Sam. Tu n'avais besoin de personne pour penser avant. Et maintenant, te voilà en train de faire l'éloge de ces foutaises de « dessine ce que tu vois », comme si c'était un message des dieux inscrit sur une tablette en pierre. Depuis quand ne mets-tu plus en doute l'autorité ? Depuis quand faut-il te dire ce qu'est le processus de la création et comment il fonctionne ?

Je n'en revenais pas de son discours. Pourtant il l'avait toujours tenu.

— Personne ne décide à ma place, Jack, ai-je commencé.

Mais Lucy m'a interrompue en surgissant brusquement dans la pièce, avec sa bande de pompom girls, couvertes de paillettes.

— Salut tout le monde ! David, je voudrais te présenter mes amies.

J'ai tourné le dos à ma sœur. Je voulais que Jack comprenne.

— Jack, ai-je repris, j'ai regardé dans des livres. David a raison. Picasso était un virtuose de la technique avant de se lancer dans un travail plus personnel...

— David, m'a coupée Jack en roulant des yeux. Oh, oui, je suis sûr que David sait tout sur l'art. Parce que je suis sûr que David a déjà exposé.

Lucy nous a observés à tour de rôle, puis, quand elle a pris la parole, c'est à Jack qu'elle s'est adressée :

— Comme toi, tu veux dire ?

Avez-vous déjà vu une fille soutenir aussi peu son petit ami ?

— Oui, a répondu Jack. Il se trouve que mes tableaux ont été exposés...

— Dans la galerie marchande, a-t-elle fait remarquer.

Jack n'a pas relevé et m'a regardée intensément. Je sentais ses yeux bleu pâle qui me sondaient.

— Tu sais quoi, Sam, a-t-il enfin déclaré. J'ai l'impression que ce n'est pas ton poignet que tu t'es cassé le jour où tu as sauvé la vie du père de ton copain, mais ton cerveau.

— O.K., est intervenu David, cette fois tout sourire absent de son visage. Écoute, gros lard, je ne sais pas quel est ton problème, mais...

— Mon problème ! s'est écrié Jack en le menaçant du poing. Ce n'est pas moi qui ai un problème, gros lard toi-même ! C'est toi qui acceptes que ton individualité soit sapée par...

— C'est bon ! a lancé Lucy d'une voix lasse, avant de se glisser entre Jack et David et de poser les deux mains sur le torse de Jack. Tu sors maintenant, Jack.

Jack a baissé les yeux vers elle. On aurait dit qu'il venait de s'apercevoir de sa présence.

— Mais... Lucy, c'est lui qui a commencé.

— Oui, oui, je sais, a-t-elle répondu en poussant

Jack vers la porte qui menait au jardin. On va sortir gentiment tous les deux pour respirer un peu d'air frais. Tu as bu combien de bières ?

Deux minutes plus tard, on était seuls, David et moi.

— Qu'est-ce qui lui a pris, à ce type ? m'a demandé David.

Par la fenêtre, je voyais Jack qui gesticulait comme un fou. Il cherchait sans doute à expliquer à Lucy son point de vue.

— Il n'est pas méchant, ai-je murmuré. Il a juste l'âme d'un artiste.

— Oui, et le cerveau d'un orang-outan.

Je l'ai foudroyé du regard.

— Jack Ryder a énormément de talent. Et c'est un rebelle. Un radical. Sa peinture ne reflète pas seulement l'état critique de la jeunesse des villes d'aujourd'hui. Elle exprime l'apathie de notre génération et l'absence de rectitude morale.

David m'a considérée longuement, mi-étonné, mi-troublé.

— Est-ce que tu apprécies ce garçon, Sam ? m'a-t-il enfin demandé.

Les amies de Lucy, qui nous observaient – et nous écoutaient –, ont frémi. J'ai senti que mes joues s'empourpraient. J'avais encore plus chaud qu'au restaurant.

Mais curieusement, je ne savais pas si je rougissais à cause de la question de David ou de son regard. Je ne plaisante pas. À nouveau, je n'osais pas rencontrer ses yeux verts. Quelque chose en eux... mais quoi ? ... me mettait terriblement mal à l'aise.

Naturellement, je ne pouvais pas lui répondre la vérité. Pas avec toute l'équipe des pompom girls dans mon dos.

Du coup, j'ai dit :

— C'est le copain de ma sœur, pas le mien.

— Je ne t'ai pas demandé de qui il était le petit copain, mais si tu l'appréciais, a insisté David.

J'ai essayé de lutter de toutes mes forces mais en vain. Quelque chose m'a fait lever les yeux...

L'espace d'une minute, j'ai cru que je me trouvais en présence d'un garçon que je ne connaissais pas. David n'était plus le fils du président des États-Unis, mais un garçon curieux et super mignon, qui suivait le même cours de dessin que moi, écoutait la même musique et aimait bien mes Doc. C'était comme si je le voyais – je veux parler du vrai David – pour la première fois.

J'étais troublée, j'avais les mains moites et mon cœur battait la chamade.

J'ai alors ouvert la bouche pour répondre quelque chose, mais je n'en ai pas eu le temps. Une voix a brusquement retenti.

— Enfin, je vous ai trouvés !, et Kris Parks s'est plantée devant nous, avec une soixantaine de personnes au moins dans son sillage qui, nous a-t-elle expliqué, brûlaient d'envie de rencontrer le fils du président des États-Unis.

David a alors joué son rôle à la perfection et sans le moindre regard pour moi, il a serré la main de chacune d'elles.

19

— Ce n'est pas ta faute si tu es amoureuse de Jack !
a déclaré Catherine.

Elle était allongée sur le futon, j'étais dans mon lit,
avec Manet, couché en boule, à mes côtés.

— Tu as rencontré Jack en premier, a-t-elle continué tandis que l'obscurité de la nuit nous enveloppait.
Qu'est-ce que croit David ? Que tu allais attendre
qu'il arrive sur son cheval blanc, tel le prince charmant ? Tu n'es pas Cendrillon !

— À mon avis, David pensait que si je l'invitais à
une fête, c'est parce que je l'aimais, lui, et pas un autre,
ai-je déclaré en fixant le plafond.

— Excuse-moi, mais c'est un peu dépassé.

Depuis qu'elle avait eu son premier rendez-vous
amoureux, rendez-vous qui s'était plutôt bien déroulé
– Paul l'avait embrassée pour lui souhaiter une bonne
nuit, et « sur la bouche », s'il vous plaît –, Catherine

estimait être une experte en amour. La seule chose qui l'inquiétait, c'est que ses parents l'apprennent. Non pas son histoire avec Paul, mais qu'elle soit allée à une fête, en jean noir de surcroît.

— Tu es jolie et pleine de vie, a-t-elle repris. Personne ne peut s'attendre à ce que tu ne connaisses qu'un seul homme dans ta vie. En plus, à quinze ans, ce serait ridicule de jeter son dévolu sur un seul garçon.

— Surtout quand le garçon en question est amoureux de ma sœur, ai-je fait remarquer avec un rire sarcastique.

— Jack pense qu'il aime Lucy, nous le savons très bien toutes les deux. Ce qui s'est passé ce soir prouve qu'il a enfin compris à quel point tu comptais pour lui. Pourquoi aurait-il agressé David ? Il ne supporte pas de te voir avec un autre garçon, c'est clair !

— Je crois plutôt que c'est parce qu'il a bu trop de bières.

— Faux, a répondu Catherine. Enfin, peut-être que les bières ont joué un rôle, mais je suis sûre qu'il s'est senti menacé. Menacé par ce qu'il a perçu de ton bonheur avec un autre.

J'ai roulé sur le côté – dérangeant Manet au passage –, et j'ai scruté la silhouette de Catherine dans le noir.

— Est-ce que tu as lu le *Cosmo* de Lucy ?

— Euh... oui, a avoué Catherine. Elle l'avait laissé dans la salle de bains.

J'ai roulé dans l'autre sens et j'ai recommencé à fixer le plafond. Comment faire le point sur la soirée alors que ma seule interlocutrice débitait des conseils piochés dans les pages des magazines féminins de ma sœur ?

— Est-ce qu'il t'a embrassée quand vous vous êtes dit au revoir ? m'a demandé Catherine timidement. Je veux dire, David ?

Ben voyons ! Comme si David était d'humeur à m'embrasser après la scène avec Jack. En fait, il m'avait à peine adressé la parole pendant le restant de la soirée, préférant la passer à faire la connaissance des élèves du lycée. Il ne semblait éprouver aucune gêne d'être ainsi le centre d'attention, et donnait même l'impression de bien s'amuser. Il faut dire qu'à chacun de ses bons mots, Kris Parks et ses amies hurlaient de rire.

Ce n'est que vers onze heures et demie – Theresa, qui faisait du baby-sitting pendant que mes parents étaient à un dîner, nous avait donné la permission de minuit – qu'il m'a rejointe. J'étais assise toute seule dans un coin du salon. Je feuilletais les magazines de décoration de la mère de Kris tout en essayant d'ignorer les gens qui venaient me demander un autographe ou la permission de signer mon plâtre.

— Prête ? a dit David.

J'ai hoché la tête et je suis allée prévenir Catherine qu'on partait. Puis j'ai cherché Kris des yeux – je n'ai pas eu à la chercher bien longtemps, elle n'avait pratiquement pas quitté David de la soirée. Après l'avoir remerciée, j'ai suivi David et John jusqu'à la voiture.

Cleveland Park n'est pas très loin de Chevy Chase, où habite Kris, mais le trajet m'a paru interminable. Personne ne parlait. Au bout d'un moment, John a heureusement pensé à mettre Gwen Stefani.

Mais, pour la première fois de ma vie, la voix de Gwen n'a pas eu sur moi le même effet que d'habitude, c'est-à-dire me rendre heureuse. J'étais triste et je ne savais pas pourquoi. D'accord, David savait que j'aimais Jack. Et alors ? La belle affaire ! Est-ce que c'est défendu par la loi d'être amoureuse du petit ami de sa sœur ?

Lorsqu'on est enfin arrivés devant chez moi, le silence était carrément oppressant. Je me suis tournée vers David, et j'ai dit :

— Merci d'être venu avec moi chez Kris.

À ma grande surprise, il a ouvert la portière de son côté.

— Je t'accompagne.

J'avoue que la perspective de passer encore quelques minutes avec lui ne m'emballait pas trop. Je pressentais qu'il ne me laisserait pas m'en tirer à si bon compte.

Et effectivement, à mi-chemin, il s'est arrêté et a lâché :

— Tu t'es payé ma tête ce soir, n'est-ce pas, Sam ? Je lui ai jeté un coup d'œil.

— Moi ? ai-je fait. Comment ça ?

— Je pensais que tu étais différente. Je pensais que tu étais vraiment... Je ne sais pas. Sincère. Et finalement, je m'aperçois que tout ça n'était qu'un stratagème de ta part pour attirer un garçon.

Je me trouvais alors en bas des marches du perron, avec la lumière de la véranda en plein dans les yeux.

— Que veux-tu dire par là ?

— Ce n'est pas pour ça que tu m'as invité à cette fête ? Sois franche, Sam. Cela n'avait rien à voir avec ton amie que tu voulais soi-disant aider. Tu t'es servi de moi pour rendre ce Jack jaloux.

— C'est faux ! ai-je crié en espérant que lui aussi serait aveuglé par la lumière de la véranda. Comme ça, il ne verrait pas mes joues en feu. David, c'est..., c'est... C'est ridicule.

— Je ne crois pas.

On se tenait devant la porte d'entrée. David continuait de me dévisager.

— Dommage, a-t-il ajouté. Je pensais que tu n'étais pas comme les autres filles.

Et avec un mouvement poli de la tête et un simple « Bonsoir », il m'a tourné le dos et s'est dirigé vers la voiture. Il ne s'est même pas retourné.

Comment pouvais-je lui en vouloir ? J'imagine que ce devait être horrible de découvrir que la personne qui vous a invité à une soirée en aime un autre. En même temps, j'avais juste demandé à David de m'accompagner à une fête, pas de m'épouser ! Ce n'était peut-être pas nécessaire d'en faire tout un plat. Et cette histoire de s'être trompé sur mon compte ? Que je n'étais pas comme les autres filles qu'il connaissait ? Combien de filles connaissait-il d'abord qui avaient sauvé la vie de son père ? Je suis sûre qu'il ne devait pas y en avoir beaucoup.

En tout cas, la soirée n'avait pas été ratée pour tout le monde. Catherine avait profité de ma soudaine célébrité pour se faire des amis et parler à des tas de gens. Elle exultait. Tous ses rêves se réalisaient. Elle m'avait même confié qu'elle était invitée à une autre fête, le week-end prochain.

— Tu sais, a-t-elle brusquement déclaré. Je suis sûre que Jack était jaloux.

J'ai redressé la tête.

— Tu crois ?

— Oui. Je l'ai entendu raconter à Lucy qu'il trouvait David pompeux et que tu méritais mieux.

Pompeux ? David était la personne la moins pompeuse que je connaissais. Qu'est-ce que voulait dire Jack, exactement ?

Lorsque j'ai fait part de mes réflexions à Catherine, elle s'est raclé la gorge et a répondu :

— Sam, il me semble que c'était ça que tu voulais. Faire en sorte que Jack comprenne que tu es une fille séduisante et que des tas de garçons te tournent autour.

Bien que j'admette que ce soit la vérité, je n'aimais pas trop l'idée que quelqu'un – y compris mon âme sœur – dise du mal de David. Parce que David était quelqu'un de bien.

Sauf que je ne voulais pas y penser. Au fait que David soit quelqu'un de bien alors que je l'avais si mal traité. Ce genre de comportement, c'était bon pour les lectrices de *Cosmo*, pas pour une adepte de *Art in America* comme moi.

Comme je savais que je n'arriverais pas à trouver le sommeil tout de suite, et que Catherine venait de s'endormir, j'ai attrapé ma lampe torche et j'ai ouvert le livre que le porte-parole de la Maison Blanche m'avait remis sur la vie des premières dames des États-Unis.

Dix faits peu connus concernant Dolley Payne Todd Madison, épouse du quatrième président des États-Unis d'Amérique :

10. Elle écrivait son nom Dolley et non Dolly.

9. Née en 1768, elle a été élevée dans une famille de Quaker, ce qui signifie qu'elle ne portait ni bonnets ni vêtements de couleur, comme l'imposait la tradition quaker.

8. Son premier mari, un avocat quaker, est mort de la fièvre jaune.

7. Après avoir épousé en secondes noces James Madison, en 1794, Dolley a tenu le rôle de « première dame non officielle » pendant la présidence de Thomas Jefferson, qui était veuf.

6. C'est apparemment à cette époque que Dolley a dû se dire que Dieu se fichait bien qu'elle porte ou non des couleurs vives, car on la décrit arbo-

rant un turban doré avec une plume d'autruche lors du bal d'investiture de son mari.

5. La preuve que Dolley a abandonné les us et coutumes quaker : durant la présidence de son mari, elle est devenue la femme la plus populaire de la société de Washington. Elle était célèbre pour ses soirées du mercredi où elle recevait politiciens et diplomates. Ces réceptions aidèrent à calmer les tensions entre les fédéralistes, qui professaient les idées de nos républicains, et les républicains qui, eux, professaient celles de nos démocrates.

4. Pendant la guerre de 1812, Dolley a non seulement sauvé le portrait de George Washington mais des centaines de documents hyper importants en les glissant dans des malles. La veille de l'attaque par les Anglais, elle a rempli une charrette d'argenterie et d'autres objets de valeur et les a envoyés à la Banque du Maryland qui les a gardés, ce qui prouve son courage et son sens de l'initiative.

3. Cependant, en 1814, quand tout ça est arrivé, la majorité des citoyens américains n'ont pas su apprécier l'action de Dolley parce qu'ils en voulaient à son mari d'avoir déclaré la guerre. Résultat, quand Dolley est allée frapper chez ses voisins, alors que la Maison Blanche brûlait, et

leur a demandé l'hospitalité, ils la lui ont refusée. Elle n'a trouvé un lieu où se réfugier qu'en mentant sur son identité.

2. Comme si ce n'était pas suffisant, l'un de ses fils s'est révélé être un débauché qui, par ses dépenses démesurées, a failli ruiner la famille.

Mais ce que personne ne sait sur Dolley Madison, c'est :

1. Qu'elle n'était pas très belle.

20

La semaine suivante, comme le cours de dessin du jeudi sautait à cause de Thanksgiving, j'ai pris la décision de présenter mes excuses à David à la leçon du mardi. Même si Catherine m'assurait que je n'avais rien à me reprocher et que je partageais plus ou moins son avis, une petite voix en moi me certifiait le contraire. De toute façon, c'était la moindre des choses. De m'excuser, je veux dire. Je pensais même proposer à David d'aller au bowling avec Catherine et Paul, le vendredi soir, histoire d'enterrer l'affaire. Comme Lucy participait à un match ce soir-là, il n'y avait aucune chance pour qu'on tombe sur Jack. David saurait alors que c'était pour être avec lui que je l'avais invité, et non pour rendre Jack jaloux.

Je ne sais pas pourquoi je tenais autant à ce que David comprenne qu'il se trompait... que je n'étais pas comme les autres filles qu'il connaissait, que je ne cherchais à impressionner personne, et surtout pas un garçon. En particulier quand le garçon en question sortait déjà avec ma sœur. Je voulais qu'il sache que j'aimais m'habiller en noir et que les marguerites sur mes Doc étaient mon idée.

Bref, je voulais que tout redevienne comme avant.

Sauf que David n'est pas venu, le mardi. Et personne ne pouvait me dire pourquoi. Gertie et Lynn n'étaient pas ses amies. C'était moi, son amie. Était-il souffrant ? Parti plus tôt pour Camp David, où ses parents et lui devaient fêter Thanksgiving ? Impossible de le savoir.

Résultat, quand je me suis installée pour dessiner les calebasses que Susan Boone avait disposées sur la table, mon casque sur la tête pour me protéger des attaques de Joe, je me suis sentie bête.

Bête parce que j'étais déçue que David ne soit pas là. J'avais pensé que ce serait tout simple, je me serais excusée et on n'en aurait plus parlé.

Mais surtout, je me sentais bête de donner autant d'importance à cette histoire. C'est vrai, quoi ! Je n'aimais pas David. Je le trouvais sympa, mais c'est tout.

Bon d'accord, il y avait ce frisson que j'éprouvais chaque fois que j'étais en sa présence.

Mais ce n'est pas à cause de ça que j'allais oublier mes sentiments pour Jack. O.K., il s'était mal conduit chez Kris Parks. Et alors ? Ce n'était pas une raison pour ne plus l'aimer ! Quand on aime quelqu'un depuis aussi longtemps que j'aime Jack, on dépasse les comportements bizarres que peut avoir cette personne. Et ce que je ressentais pour Jack était *profond*. Tout comme je savais que ce qu'il ressentait pour moi était plus profond que ce qu'il éprouvait pour Lucy.

Sauf qu'il ne le savait pas encore.

Quoi qu'il en soit, si David pensait qu'en ne venant pas au cours de Susan Boone, il serait débarrassé de moi, il se faisait un film, comme dirait Theresa. Parce qu'en tant qu'ambassadrice des Nations unies pour la jeunesse, j'allais à la Maison Blanche tous les mercredis. Du coup, si David n'était pas encore parti pour les vacances, je profiterais de ma présence là-bas pour lui parler. Il me suffisait d'attendre que M. White, le porte-parole, soit occupé, pour partir à sa recherche.

Malheureusement, mon plan n'a pas marché, car M. White ne m'a pas lâchée de la journée. Les tableaux pour l'exposition *De ma fenêtre* n'arrêtaient pas d'arriver. Certains venaient d'aussi loin que Hawaii et d'autres de beaucoup plus près, comme Chevy Chase (le tableau de Jack). M. White croulait sous leur nombre. Il y en avait tellement qu'il ne savait plus où les mettre. Dire qu'on n'en choisirait qu'un pour l'envoyer au siège des Nations unies à New York !

Après les avoir regardés les uns après les autres, j'en ai conclu que certains tableaux étaient très mauvais, d'autres très bons et d'autres encore très intéressants.

Celui qui me plaisait le plus était d'une certaine Maria Sanchez, de San Diego. Il représentait la cour arrière d'une maison avec des draps qui pendaient à un fil. Entre les draps, qu'une brise invisible agitait, on apercevait une barrière de barbelés. Quelques personnes se glissaient à travers pour échapper à des hommes en uniformes, armés de revolvers et de matraques. Maria avait intitulé son tableau : *Terre de liberté ?* Avec un point d'interrogation.

M. White le détestait.

— Cette exposition n'a pas pour but de faire passer des messages politiques, a-t-il dit.

— Non, mais de décrire ce qu'on voit de sa fenêtre, ai-je rétorqué. Et c'est ça que Maria Sanchez voit de sa fenêtre. Elle ne fait passer aucun message politique, elle a peint ce qu'elle voyait.

En guise de réponse M. White s'est contenté de marmonner dans sa barbe. Il avait sélectionné, lui, le tableau d'Angie Tucker, de Little Isle, dans le Maine. Angie avait dessiné un phare et la mer. Sa toile était jolie, certes, mais je ne sais pas pourquoi, je n'arrivais pas à croire que c'est ce qu'elle voyait tous les jours de sa fenêtre. Un phare ? À d'autres, oui !

Pour cette raison, j'estimais que le travail de Maria était meilleur que celui d'Angie. Et, étonnement, que celui de Jack. Oh, son tableau était très réussi, comme tous les tableaux de Jack. Il montrait trois jeunes garçons, l'air blasé, sur le parking d'un 7-Eleven, des mégots de cigarettes à leurs pieds et des tessons de bouteilles de bière jonchant le sol autour d'eux, avec les éclats de verre qui étincelaient comme des émeraudes. Il décrivait parfaitement la situation critique dans laquelle se trouvaient les jeunes des villes et le désespoir de notre génération.

C'était un grand tableau. Un très grand tableau, même.

Mais il ne montrait pas ce que Jack voyait de sa fenêtre.

Je le savais, parce que le 7-Eleven le plus proche de chez Jack se trouve à plusieurs kilomètres. Jack ne pouvait pas le voir de chez lui. Il vit dans une grande maison entourée de grands arbres feuillus. Bien que je reconnaisse que la vue de sa chambre soit, disons... peu intéressante, je ne pouvais pas non plus le récompenser d'avoir triché. Aussi fort que soit mon amour pour lui, il n'influencerait pas mon jugement.

Ce qui signifiait que le tableau de Jack ne serait pas sélectionné.

M. White et moi étions dans une impasse. Rien qu'à voir sa tête, je sentais qu'il en avait assez d'entendre mes arguments et qu'il n'attendait qu'une chose : que nous en finissions avec ces tableaux. On était mercredi, c'est-à-dire la veille de Thanksgiving.

Tout à coup, j'ai eu une idée.

— Écoutez, monsieur White, que pensez-vous d'écourter notre séance de travail ? Je me disais que je pourrais aller dire bonjour à David avant qu'il parte pour le week-end...

M. White m'a foudroyée du regard.

— Nous n'écourterons rien du tout. Nous avons

encore des tonnes de choses à voir. Il y a le Festival international de l'Enfance samedi prochain. Le président tient à ce que vous y assistiez...

Cette nouvelle a tout de suite retenu mon attention.

— Vraiment ? ai-je fait. Est-ce que David sera là ?

M. White a poussé un soupir. Parfois, j'ai l'impression qu'il maudit le jour où j'ai empêché Larry Wayne Rogers de tuer son patron. Non que M. White aimerait voir le président mort. Pas du tout. Mais je crois qu'il aurait été heureux d'être débarrassé de moi.

— Je ne sais pas, Samantha, a-t-il dit avec un soupir. Il y aura des représentants de plus de quatre-vingts pays, dont le président, et ce serait bien si, pour une fois, vous faisiez un petit effort, côté vestimentaire. Essayez d'avoir l'air d'une jeune fille, pas d'un Disk Jockey.

J'ai baissé les yeux sur mes Doc, mes collants noirs, mon kilt teint en noir, et mon sweat-shirt préféré.

— Vous trouvez que je ressemble à un DJ ? me suis-je exclamée, touchée par ce compliment inattendu.

M. White a roulé des yeux puis m'a demandé ce que je comptais faire de mon plâtre. Il commençait à être défraîchi. Plusieurs filles au lycée me suppliaient depuis un moment de le leur donner une fois qu'on me le retirerait. Theresa, elle, me suggérait de le vendre aux enchères sur Internet. « Tu pourrais gagner des milliers de dollars, m'assurait-elle. Ils ont bien vendu aux enchères des bouts du mur de Berlin, après sa chute. Pourquoi pas le plâtre de la fille qui a sauvé la vie du président des États-Unis d'Amérique ? »

Je n'avais pas encore pris ma décision. De toute façon, rien ne pressait. On ne me l'enlevait pas avant une semaine.

Mais je comprenais le point de vue de M. White. Le plâtre était sale et il s'effilochait par endroits, là où je l'avais mouillé (ce n'est pas facile de se laver les cheveux avec une main seulement).

— Peut-être que votre mère pourrait vous coudre une espèce de... de manchon, histoire de le cacher, m'a-t-il proposé.

Ensuite, il s'est plaint du trop grand nombre d'invités au Festival international de l'Enfance, j'ai jeté un coup d'œil à l'horloge. Il était cinq heures, l'heure de rentrer chez moi. Impossible à présent d'aller voir David. Encore une fois, je l'avais raté.

Résultat, je n'étais pas vraiment d'humeur à fêter Thanksgiving. Je me fichais même pas mal qu'on ait quatre jours de vacances. D'habitude, quatre jours sans allemand m'auraient rendue folle de joie. Mais curieusement, cette année, ça ne me faisait rien. Je ne pensais qu'à une chose : si David n'assistait pas au Festival international de l'Enfance, je ne le verrais pas avant cinq jours.

Même la vue de Theresa dans la cuisine, en pleins préparatifs pour le repas de Thanksgiving, ne m'a pas remonté le moral. Elle faisait cuire une tarte à la citrouille, sauf qu'elle n'était pas pour nous, mais pour ses enfants et petits-enfants. Comme Theresa passe toute la semaine chez nous, la seule manière pour elle d'être prête pour Thanskigiving, c'est de cuisiner à la maison. Ma mère n'y voit aucun inconvénient car on fête Thanksgiving à Baltimore, chez ma grand-mère.

— Qu'est-ce que tu as ? m'a demandé Theresa quand elle m'a vue jeter mon manteau et mon sac à dos et prendre une barre de céréales sans me plaindre.

— Rien, ai-je répondu en m'asseyant à la table.

Rebecca, qui lisait en face de moi, avait apparemment renoncé aux livres d'amour pour revenir à la science-fiction. Tout bien considéré, c'était une sage décision de sa part.

— Alors arrête de soupirer, a lâché Theresa d'un air tendu.

Theresa était toujours tendue la veille des vacances, parce qu'elle ne savait jamais avec laquelle de ses ex-femmes son fils Tito viendrait... ou s'il ne profiterait pas de l'occasion pour lui présenter sa dernière conquête. D'après Theresa, c'était plus qu'une mère ne pouvait supporter.

J'ai soupiré à nouveau et Rebecca a levé les yeux de son livre.

— Si tu es de mauvaise humeur parce que Jack n'est pas là, ce n'est pas la peine, a-t-elle déclaré d'une voix lasse. Lucy et lui seront probablement de retour d'ici cinq minutes. Ils sont allés chercher *Die Hard*. Tu sais, la vidéo préférée de papa.

— Pourquoi le fait que Jack ne soit pas là me mettrait de mauvaise humeur ? ai-je demandé.

En voyant que Rebecca haussait les épaules, j'ai lancé, peut-être plus fort que je ne l'aurais voulu :

— Je n'aime pas Jack, tu le sais bien, Rebecca. Du moins, pas comme tu le penses.

— Oui, oui, c'est ça, a-t-elle fait en retournant à sa lecture.

— Je parle sérieusement. De toute façon, Jack est le petit copain de Lucy.

— Et alors ? a dit Rebecca en tournant une page.

— Et alors je ne l'aime pas comme tu le penses, c'est tout.

Est-ce que j'allais passer le restant de ma vie à nier mes vrais sentiments devant toutes les personnes de mon entourage ? Au lycée, ce n'était que « Sam et David » par-ci, « Sam et David » par-là. Même la presse s'y était mise, depuis notre super « rendez-vous ». Pire, on en avait parlé aux informations. Aux informations *nationales*. Évidemment, ça n'a pas fait l'ouverture du journal de 20 heures, mais juste avant la fin, le présentateur n'a pas pu s'empêcher de dire : « Nos jeunes ne pensent pas qu'à Thanksgiving, ici, à Washington. Il semble que deux d'entre eux aient rencontré l'amour... »

C'était scandaleux ! Pas étonnant que David ne soit pas venu au cours de dessin. Des journalistes avaient envahi le quartier et, quand je m'étais frayé un passage entre eux pour rejoindre l'atelier de Susan Boone, plusieurs d'entre eux avaient crié : « Samantha ! Est-ce que vous vous êtes bien amusés, David et vous, samedi soir ? »

Ce souvenir m'a brusquement fait penser à quelque chose.

— Dis donc, Rebecca, ai-je repris. Si je suis censée aimer Jack à ce point, qu'est-ce que tu fais de cette histoire de frisson entre David et moi, hein ? Comment expliques-tu que je frémisse pour un garçon alors que j'en aime soi-disant un autre ?

— Parce que tu es complètement aveugle et ne vois pas ce qui est devant toi, a affirmé ma petite sœur avant de se replonger dans son livre.

Aveugle ? Mais de quoi parlait-elle ? Je lui ai répondu que, grâce à Susan Boone, je n'avais jamais aussi bien vu de ma vie ! N'avais-je pas dessiné le plus bel œuf de tous ses élèves ? Et mes calebasses ? Elles étaient les plus réussies du cours.

— Eh bien, peut-être que tu sais voir des œufs et des calebasses, mais tu ne sais rien voir d'autre, a déclaré Rebecca.

Je lui ai alors dit ce que seules les grandes sœurs disent à leurs petites sœurs qui se prennent pour des Mademoiselles Je-sais-tout. Lucy me l'avait assez dit.

Theresa m'a envoyée dans ma chambre juste après.

Mais je m'en fichais. De toute façon, je préférais être dans ma chambre. Si cela ne tenait qu'à moi, je n'en sortirais même jamais, vu que chaque fois que j'en sors, j'ai des ennuis. Soit je sauve des gens qui manquent de se faire assassiner, soit je me lance dans une discussion sur Picasso, soit je m'entends dire que je suis aveugle.

Bref, ma décision était prise. Je ne sortirais plus jamais de ma chambre. Et rien ni personne ne pourrait m'en empêcher.

21

J'ai quand même dû sortir de ma chambre pour aller fêter Thanksgiving chez ma grand-mère.

Mais dès notre retour, je m'y suis enfermée à nouveau. Pas pour longtemps. M. White avait laissé un message sur le répondeur pour rappeler à mes parents que ma présence au Festival international de l'Enfance était indispensable. Apparemment, si je n'y assistais pas, ce serait catastrophique.

Résultat, ma mère ne m'a pas laissé le choix : j'irais.

Je dois dire que cette histoire d'ambassadrice pour la jeunesse commençait à me barber sérieusement. C'était pire que l'allemand. Chaque fois que Jack me croisait, il me demandait : « Alors, tu as mon billet pour New York ? », qui était la récompense offerte à l'artiste dont l'œuvre avait été sélectionnée, c'est-à-dire un aller-retour pour New York, tous frais payés, plus, évidemment, la gloire et la célébrité.

Que devais-je faire, quand Jack me posait cette question ? Lui répondre : « Ha, ha... On ne sait pas encore qui est le vainqueur, Jack. » Impossible, car il me répliquerait aussi sec : « Oui, mais ça sera moi, n'est-ce pas ? » Ce à quoi je ne pouvais rétorquer que : « On verra... »

On verra. Même si je savais très bien que ce ne serait jamais lui. Comment le lui annoncer ? Je ne voulais pas être celle qui le ferait. Cette exposition comptait tellement pour lui.

Aussi, je ne disais rien. Je lui souriais et me taisais. Tandis qu'en mon for intérieur, je pleurais.

Bon d'accord, je ne pleurais pas, mais vous voyez ce que je veux dire. J'étais mal.

Bref, j'ai dû me rendre le samedi soir à la Maison Blanche pour assister à ce Festival international de l'Enfance qui consistait en un concert et un dîner. Il n'y avait même pas un seul enfant.

Quant au groupe qui animait la soirée, dans le genre branché, on faisait mieux. Le Trio des Beaux-Arts.

Mais bon, une fois qu'ils ont commencé à jouer, je me suis dit que ce serait supportable. D'accord, ça n'avait rien à voir avec No Doubt, mais ça allait. En fait, ça me faisait penser à ce qu'on écoutait chez Susan Boone.

C'était finalement la seule chose de supportable de la soirée ! Premièrement, j'avais dû m'habiller. Sous la pression de M. White, ma mère m'avait acheté une robe chez Nordstrom.

Heureusement, elle était noire, mais malheureusement, taillée dans un velours qui grattait, sans compter qu'elle faisait ridicule avec mon plâtre à présent tout en lambeaux.

On aurait pu penser qu'assister à un concert privé à la Maison Blanche, dans le Salon vermeil, qui est en fait tout doré, en compagnie du président et de la première dame des États-Unis, du Premier ministre français et de sa femme, et de bien d'autres étrangers défenseurs des droits des enfants, aurait été excitant. Eh bien, ça ne l'était pas du tout. C'était même mortel. Des serveurs passaient entre les invités avec des coupes de champagne – du 7-Up pour les moins de vingt et un ans qui, apparemment, n'étaient qu'au nombre de un, c'est-à-dire moi – et des petits canapés.

J'ai tenté de plaisanter en disant que ce 7-Up était un grand cru, mais personne n'a ri vu que personne n'avait le sens de l'humour.

À l'exception de David, bien sûr. Je l'ai vu juste après ma petite plaisanterie. Et quand je l'ai vu, j'ai pratiquement recraché ma gorgée de 7-UP à la figure de l'ambassadeur du Sri Lanka.

Ce dernier m'a observée avec l'air de penser que j'étais folle. Mais ça valait mieux que le regard de David qui, lui, me dévisageait comme un insecte poilu qui aurait surgi au milieu de sa salade. Sa mère l'avait visiblement obligé à s'habiller lui aussi. Il portait un costume sombre et une cravate. Cette tenue lui allait très bien. Très, très bien, même. En fait, elle lui donnait un petit côté sexy.

Quand je me suis entendue penser ça, j'ai failli m'étouffer à nouveau. *David ? Sexy ?* Depuis quand je songeais à David en ces termes ? Bien sûr, je le trouvais mignon, mais... sexy ?

J'ai eu tout à coup très chaud – soit parce que je venais de prendre conscience que je trouvais David sexy, soit parce que j'étais terriblement gênée comme peut l'être une fille quand elle croise le garçon dont elle s'est servie pour rendre un autre garçon jaloux. Quoi qu'il en soit, mon visage était aussi rouge que mes cheveux. Je le sais parce que j'ai aperçu mon reflet dans l'un des nombreux miroirs dorés du Salon vermeil.

Est-ce que cela faisait aussi partie du frisson ? Si oui, je n'en voulais plus. Rebecca pouvait le reprendre, son frisson. Ça craignait autant que les petits canapés.

David, évidemment, était trop bien élevé pour me snober. Il s'est dirigé vers moi, un sourire poli aux lèvres.

— Salut, Sam, a-t-il dit. Comment vas-tu ?

J'ai réprimé ce que j'aurais voulu lui répondre – « Très mal, merci. Et toi ? » – et j'ai sorti la formule habituelle : « Très bien, merci », puisqu'il ne me paraissait pas très approprié de me lancer dans des explications devant les invités.

— Au fait, tu n'es pas venu, mardi, au cours de Susan Boone.

— Non. J'ai eu un empêchement.

— Oh !

Ce qui n'était pas du tout ce que je voulais dire. Ce que je voulais dire, c'est : David ! Je suis désolée. Je sais que je me suis très mal comportée, je sais que tout est ma faute, mais est-ce que tu pourrais, s'il te plaît, me pardonner ?

Sauf que je n'ai pas pu. Premièrement, parce que cela reviendrait à ramper – d'accord légèrement – devant lui, et deuxièmement, parce que son père s'est avancé au milieu du salon et nous a demandé de prendre place : le concert allait commencer.

Je me suis retrouvée assise derrière David, mais sur le côté. Du coup, je le voyais bien. Enfin, je voyais surtout son oreille gauche.

Mais je n'ai rien entendu du concert. J'étais bien trop préoccupée par ce qui m'arrivait. Tout en fixant l'oreille gauche de David, je ne cessais de me demander comment faire pour que ça se passe bien de nouveau entre nous. Ce qui m'étonnait, c'est à quel point j'y tenais. À ce que ça se passe bien de nouveau entre nous.

Après le concert, le président m'a présentée aux musiciens, d'abord comme la fille qui lui avait sauvé la vie puis comme l'ambassadrice des Nations unies pour la jeunesse. Le violoncelliste m'a fait un baise-main. C'était la première fois qu'un étranger embrassait une partie de mon corps. Personnellement, j'ai trouvé ça bizarre. Mais c'est sans doute parce qu'il était très âgé.

— Et que fait l'ambassadrice des Nations unies pour la jeunesse ? a demandé le pianiste.

Le président lui a parlé de l'exposition *De ma fenêtre*, puis il a ajouté en riant :

— Et elle donne du fil à retordre à Andy.

Andy est le prénom de M. White. Je ne lui donnais pas du tout du fil à retordre ! Au contraire, même. Je lui avais remis toutes mes balles rebondissantes et je ne le harcelais plus pour qu'il me montre les lettres des pervers qui m'étaient adressées.

— Apparemment, a repris le président toujours sur le même ton, il y a des désaccords entre eux sur l'œuvre qui représente le mieux les intérêts américains.

Quoi ? Je ne savais pas que le président était au courant de ce qui se passait dans le bureau du porte-parole.

— Il n'y a pas du tout de désaccord ! me suis-je exclamée, même si le président ne s'adressait pas à moi et qu'il y avait bel et bien un désaccord entre M. White et moi. Le tableau de Maria Sanchez est le meilleur. C'est lui que je choisis pour représenter les États-Unis.

Je ne cherchais pas à créer un incident diplomatique ou quoi que ce soit. Je n'avais même pas réfléchi à ce que je faisais, à savoir contredire le président.

— Si Maria Sanchez est l'artiste de ce tableau avec des étrangers en situation irrégulière, elle n'ira pas à New York, a-t-il déclaré.

Et sur ces mots, il m'a tourné le dos et a dit quelque chose au Premier ministre français qui a éclaté de rire.

J'ai alors oublié qu'une demi-heure avant, je trouvais David sexy avec son costume et sa cravate. J'ai oublié que je voulais lui présenter mes excuses et que je regrettais terriblement de l'avoir si mal traité. J'ai oublié que ma robe grattait. Je ne pensais qu'à une chose : le président m'avait nommée à ce poste d'ambassadrice soi-disant pour me remercier de lui avoir sauvé la vie...

Et j'étais contente de jouer mon rôle, même si je trouvais qu'on me sous-exploitait. Il y avait des tas de sujets bien plus importants que j'aurais pu porter à l'attention des dignitaires de ce monde que ce qu'on voit de sa fenêtre. Au lieu de passer trois heures dans le bureau du porte-parole tous les mercredis après le lycée, ou d'assister à un concert pour le Festival international de l'Enfance, j'aurais pu rappeler à tous que, dans certains pays, il est tout à fait légal que des hommes épousent des filles plus jeunes que moi – et même parfois plusieurs filles à la fois ! Qu'est-ce qu'on en faisait, de ça, hein ?

Et que dire de la Sierra Leone où l'on tranche les bras et les jambes d'adolescents et même de petits enfants en signe d'« avertissement » pour avoir cherché à se frotter aux gangs des trafiquants de diamants ? Et de ces pays où, chaque fois que des gosses veulent jouer au foot, ils risquent de sauter sur des mines antipersonnel ?

À moins que je n'aborde un problème beaucoup plus proche, comme celui des adolescents, ici, aux U.S.A., qui apportent des armes à l'école et tirent sur leurs camarades. Où trouvent-ils ces armes, et comment en sont-ils arrivés à penser que tuer des gens peut résoudre leurs problèmes ? Et pourquoi d'abord personne ne faisait rien pour les aider à comprendre qu'aller à l'école avec une arme n'est pas une bonne chose ? Pourquoi personne n'expliquait à une fille comme Kris Parks qu'il vaut mieux être tolérant dans la vie et que ça n'apporte rien de se moquer des filles qui portent des jupes longues parce que leurs mères les y obligent.

Voilà les problèmes que j'aurais voulu évoquer. Mais à la place, qu'est-ce qu'on me faisait faire ? Compter des tableaux.

Je commençais à me demander si cette histoire d'ambassadrice ne visait pas à redorer l'image du président – qui me donnait de plus en plus l'impression de se soucier davantage de son image, justement, que des jeunes de ce pays. Par exemple, en offrant un super poste à la fille qui lui avait sauvé la vie.

Mais je n'ai rien dit de tout ça. Pourtant, j'aurais dû. Oui, j'aurais vraiment dû.

Mais autour de moi, il y avait tous ces gens – les musiciens, le Premier ministre français, l'ambassadeur du Sri Lanka, sans parler de David –, et je me sentais incapable de prendre la parole devant eux. Je n'arrivais même pas à parler aux journalistes qui m'assaillaient tous les jours pour savoir si je préférais le Coca ou le Pepsi.

Oh, je ne manquais pas d'idées, ce n'était pas ça mon problème. Mon problème, c'est que je ne me sentais pas assez sûre de moi pour les exprimer à qui que ce soit en dehors de ma famille ou de mes amis.

Cependant, il y avait une chose à laquelle je tenais : c'est que le tableau de Maria Sanchez aille à New York.

Aussi, après avoir posé ma main valide sur le bras du président, j'ai dit :

— Excusez-moi, mais ce tableau est le meilleur de tous. Peut-être ne montre-t-il pas notre pays sous son meilleur jour, mais c'est le plus réussi et le plus honnête. Il doit représenter les États-Unis à l'exposition.

Un lourd silence a suivi mon intervention.

Le président a sursauté, visiblement surpris.

— Samantha, je suis désolé, mais ce n'est pas possible. Vous allez devoir choisir une autre œuvre. Que pensez-vous de celle avec le phare ? Il exprime bien ce qu'est notre pays, vous ne trouvez pas ?

Puis, il m'a de nouveau tourné le dos et a repris sa conversation avec le Premier ministre français.

Vous savez ce qu'on dit sur les roux. Eh bien, je n'ai pas pu empêcher ce qui est arrivé après. Je me suis entendue prononcer des mots, mais j'avais l'impression que c'était une autre fille qui parlait. Ça aurait pu être Gwen Stefani, par exemple. Ce qui est sûr, c'est que ce n'était pas moi.

— Si vous ne vouliez pas que le travail soit bien fait, alors, il ne fallait pas me nommer à ce poste, ai-je dit au président, suffisamment fort pour que les invités entendent. Je ne choisirai pas un autre tableau. Tous les autres dépeignent ce que les gens savent, tandis que celui de Maria est le seul à montrer ce qu'elle voit, tous les jours, de sa fenêtre. Il se peut que vous n'aimiez pas ce qu'elle voit, mais le cacher à nos concitoyens ne rendra pas les choses moins réelles ou ne résoudra pas le problème pour autant.

Le président m'a dévisagée comme s'il avait affaire à un esprit légèrement dérangé. Ce qui était peut-être le cas, je n'en sais rien. Ma seule certitude alors, c'est que j'étais tellement en colère que j'en tremblais.

— Est-ce que cette Maria est l'une de vos amies ? m'a-t-il demandé.

— Non, je ne la connais pas, mais je sais que son tableau est le meilleur.

— Selon vous.

— Oui, selon moi.

— Eh bien, vous allez devoir changer d'avis, car il ne représentera pas les U.S.A. à l'exposition.

Et, pour la troisième fois, il m'a tourné le dos et s'est remis à parler à ses invités.

Je suis restée silencieuse après ça. Qu'est-ce que je pouvais dire d'autre, de toute façon ?

David, qui s'était approché de moi sans que je le remarque, m'a appelée doucement.

— Sam...

J'ai levé les yeux vers lui. Je l'avais complètement oublié.

— Suis-moi, a-t-il ajouté.

Si je n'avais pas été autant sous le choc, le fait qu'il m'adresse la parole m'aurait encore plus choquée. Qu'il m'adresse la parole et essaie aussi, apparemment, de me remonter le moral. Il m'a entraînée hors du Salon vermeil pour me conduire dans la pièce où il avait gravé mon nom sur l'appui de la fenêtre, le soir où on était venus dîner.

— Sam, a-t-il repris, ce n'est pas si grave que ça. Je sais que pour toi ça l'est, mais ce n'est pas une question de vie ou de mort.

Oui, ce n'était ni la Sierre Leone ni l'Utah, et personne ne se retrouvait avec les mains tranchées ou obligé d'épouser, à quatorze ans, un homme déjà doté de trois femmes.

— N'empêche que ce n'est pas juste.

— C'est vrai, mais il faut que tu comprennes qu'il y a des tas de contraintes que nous ne connaissons pas qui doivent être prises en considération.

— Comme quoi ? Mon choix ne va pas compromettre la sécurité nationale, si ?

David a retiré sa cravate avant de répondre.

— Peut-être veulent-ils un tableau plus gai, qui montre les États-Unis sous un éclairage favorable.

— Ce n'est pas le propos de cette exposition. Elle est censée montrer ce que les jeunes voient de leur fenêtre. Le règlement ne précise pas que ce que la personne voit doit refléter positivement son pays. Je comprendrais qu'en Chine, on ne soit pas autorisé à montrer un aspect négatif de la nation, mais enfin, on vit aux U.S.A. ! Je croyais que tous les citoyens de ce pays étaient libres de s'exprimer !

David s'est assis sur l'accoudoir de la chaise où je m'étais installée.

— Ils le sont.

— Ben voyons, ai-je lâché, sur un ton sarcastique. Ils le sont tous sauf l'ambassadrice des Nations unies pour la jeunesse.

— Tu es libre de t'exprimer, Sam.

David avait parlé avec une certaine insistance, mais j'étais trop bouleversée pour en comprendre le sens.

— Tu crois que tu peux lui glisser un mot ? ai-je demandé en levant les yeux vers lui.

Comme la dernière fois où l'on était venus tous les deux dans cette pièce, David n'avait pas allumé. La seule lumière provenait de l'extérieur. Et à la lueur des éclairages bleuâtres de la Rotonde, il était impossible de lire dans ses yeux.

— À ton père, je veux dire, ai-je ajouté. Il t'écoutera, toi.

— Sam, je ne voudrais pas te décevoir, mais je ne parle jamais de politique avec mon père. C'est une décision que j'ai prise il y a longtemps, et rien ni personne ne me fera en changer.

Même s'il avait pris la précaution de me prévenir, j'étais quand même déçue.

— Mais ce n'est pas juste ! me suis-je écriée. C'est le meilleur tableau de tous ! Il mérite d'aller à New York ! Promets-moi au moins d'essayer, David, s'il te plaît. Promets-moi de lui parler. Tu es son fils. Il t'écoutera.

— Non. Il ne m'écoutera pas.

— C'est sûr qu'il ne t'écoutera pas si tu n'essaies pas.

À croire que David ne souhaitait pas être impliqué dans cette histoire. Ce qui me mettait encore plus en rogne. On aurait dit qu'il ne se sentait pas concerné, qu'il ne comprenait pas à quel point c'était important. Bonjour l'artiste !

Je lui en voulais tellement que je n'ai pas pu m'empêcher de lâcher :

— Jack l'aurait fait, lui.

— Oh, bien sûr, a-t-il rétorqué sur un ton cynique. Jack est parfait.

— Au moins, il aurait essayé. Par exemple, quand il a appris que son père testait des médicaments sur des animaux, il a tiré dans la vitre de sa voiture avec une carabine à air comprimé en signe de protestation.

— Et alors ? C'est complètement idiot, a répondu David, pas du tout impressionné.

Je n'en revenais pas qu'il puisse dire une chose pareille. Qu'il puisse même *penser* une chose pareille.

— Ah oui ? C'est complètement idiot de s'élever contre la cruauté exercée sur les animaux ?

— Non, c'est complètement idiot de protester contre quelque chose qui sauve des vies. Si les scientifiques ne testaient pas les médicaments sur les animaux avant de les prescrire aux hommes, Sam, ils risqueraient de rendre les gens encore plus malades, peut-être même de les tuer. C'est ça que veut Jack ?

J'ai cligné plusieurs fois des yeux. J'avoue que je n'y avais pas pensé.

— Mais Jack est un..., comment dis-tu..., a repris David en haussant les épaules. Ah oui, Jack est un radical. Peut-être est-ce pour cela que les radicaux d'aujourd'hui se battent. Pour rendre les gens plus malades. Je n'étais pas au courant. Je manque visiblement de rectitude morale.

Comme s'il ne supportait plus ma présence, il m'a tourné le dos puis est parti, me laissant seule, dans le noir. Comme l'aveugle que Rebecca m'accusait d'être.

Le plus triste, c'est que je commençais à me demander si elle n'avait pas raison. Car malgré les encouragements de Susan Boone, j'avais l'impression de ne rien voir. De ne rien voir du tout.

22

Quand je suis rentrée de la Maison Blanche, j'ai trouvé Lucy dans le salon, en train de lire *Elle*.

C'était bien la première fois depuis l'âge de douze ans que Lucy passait un samedi soir à la maison. Sans Jack, qui plus est !

Était-il possible qu'ils aient enfin rompu ? Qu'en me voyant avec un autre garçon à la fête de Kris Parks, Jack ait enfin mesuré la vraie valeur de ses sentiments à mon égard ?

Si la réponse était oui, pourquoi est-ce que je ne sautais pas de joie ? Et pourquoi l'idée de leur séparation me donnait-elle brusquement mal au ventre ? À moins, bien sûr, que mes crampes ne soient dues aux canapés que j'avais avalés avant de me rendre compte qu'ils étaient au saumon et aux asperges.

— Jack n'est pas là ? ai-je demandé, l'air de rien.

— Il regarde la télé, a répondu Lucy tout en

consultant son thème astral. Il devait lire *Les Hauts de Hurlevent* pour lundi et évidemment, il ne l'a pas fait. Le problème, c'est que les profs lui ont dit que s'il n'avait pas la moyenne, ils ne le laisseraient pas passer l'examen de fin d'année.

J'ai retiré mon manteau puis je me suis effondrée sur le canapé à côté de ma sœur.

— Et il est en train de le lire maintenant ? Chez nous ?

— Bien sûr que non ! Le film passe à la télé. J'ai essayé de le regarder avec lui, mais même avec Ralph Fiennes, je n'y arrive pas, m'a-t-elle confié. Au fait, que penses-tu de cette jupe ? a-t-elle ajouté en me montrant le croquis d'une jupe par un créateur quelconque.

— Pas mal.

Bien que je n'aie bu que du 7-Up au Festival international de l'Enfance, j'avais l'impression de penser au ralenti.

— Où sont papa et maman ?

— À leur réunion sur les orphelins d'Afrique du Nord, je crois. Tout ce que je sais, c'est que Theresa a dû rentrer chez elle parce que Tito s'est cassé le pied en voulant déplacer son frigo. Résultat, je suis coincée à la maison pour vérifier que Mademoiselle « E-T-Maison » ne fasse pas exploser la baraque. Rebecca a invité une copine à dormir. Tu te rappelles quand Kris Parks passait la nuit ici et que vous jouiez toute la soirée aux Barbie ? Eh bien, devine ce que font Rebecca et son amie ? Elles créent une séquence d'A.D.N. à partir de leur Tinkertoys. Eh ! Regarde ce tailleur !

Cette fois, c'est la photo d'un mannequin que Lucy m'a montrée.

— Ce serait pas mal pour la remise de la médaille. Il ne nous reste que deux semaines pour te trouver une tenue.

— Lucy...

Je ne sais pas ce qui m'a pris, à ce moment-là. Vouloir parler de mes problèmes à ma sœur !

Pourtant, une fois que je me suis lancée, je n'ai pas pu m'arrêter. C'était comme la lave qui s'écoule d'un volcan. Impossible de la faire remonter.

Mais le plus étrange, c'est que Lucy a posé son magazine et m'a écoutée. Elle m'a regardée droit dans les yeux et elle m'a écoutée, sans m'interrompre une seule fois.

Normalement, je ne partage rien de ma vie privée avec ma grande sœur. Mais dans la mesure où Lucy est une experte en relations humaines, j'ai pensé qu'elle pourrait peut-être m'éclairer sur le comportement bizarre de David – et sur le mien aussi, qui sait. Je ne lui ai évidemment rien dit de mes sentiments pour Jack, et n'ai parlé que de la soirée chez Kris Parks, de la méchanceté de David à mon égard lors de la réception pour le Festival international de l'Enfance, et de cette histoire de frisson.

— Eh bien ! s'est exclamée Lucy une fois que j'ai

eu fini. J'espère que ce sera plus compliqué la prochaine fois.

Quoi ? Je venais de lui ouvrir mon cœur – enfin, une partie –, et elle semblait déçue !

— Que veux-tu dire par plus compliqué ?

— C'est clair comme de l'eau de roche.

Curieusement, mon cœur s'était mis à battre à tout rompre.

— Qu'est-ce qui est clair comme de l'eau de roche ?

— Enfin, Sam ! Même Rebecca l'a compris. Et pourtant, d'après ses profs, elle n'est pas très fine psychologue.

— Lucy, réponds-moi, ai-je dit en me faisant presque violence pour ne pas hurler. Que se passe-t-il entre David et moi ? Tu as intérêt à me répondre, sinon, je te jure que...

— O.K., O.K., a fait Lucy. Je vais te répondre, mais promets-moi avant de ne pas te mettre en colère.

— Je te le promets.

— Bien.

Lucy a examiné ses ongles. Ils formaient un ovale parfait et brillaient d'un blanc éclatant. Ce qui n'arrivait évidemment jamais aux miens : ils étaient tout le temps couverts de poussière de crayon.

Lucy a regardé ses ongles une dernière fois puis, après une profonde inspiration, elle a levé les yeux vers moi et a dit :

— Tu l'aimes.

— Je *quoi* ?

— Tu as promis de ne pas te mettre en colère.

— Je ne suis pas en colère, lui ai-je assuré, même si, bien sûr, je sentais la rage monter en moi.

Après tout ce que je lui avais confié, c'est *ça* qu'elle me sortait ? Que j'aimais David ? Rien ne pouvait être plus éloigné de la vérité !

— Je n'aime *pas* David, Lucy ! me suis-je écriée.

— Mais bien sûr que si, Sam ! Tu dis que ton cœur fait des bonds quand il te sourit, que tu sens tes joues s'empourprer quand tu es avec lui, et que depuis qu'il t'en veut de l'avoir amené chez Kris Parks, comme si tu paradais avec une truite de quinze kilos que tu aurais pêchée dans la rivière, tu es malheureuse comme les pierres.

— C'est ce qu'on appelle le... frisson, ai-je suggéré, avec espoir.

Lucy a attrapé un coussin et me l'a lancé en pleine figure.

— C'est ça l'amour, idiote ! Tout ce que tu ressens quand tu vois David, c'est exactement ce que je ressens quand je vois Jack ! Tu ne l'as pas encore compris ? Tu aimes David ! Et si je ne m'abuse, il ressent la même chose pour toi. Ou du moins, il ressentait la même chose pour toi avant que tu ne gâches tout.

Je ne pouvais évidemment pas lui dire qu'elle avait tort. Qu'il était impossible que j'aime David puisque c'est son petit ami à elle que j'aimais, et depuis le premier jour où elle l'avait amené à la maison.

En même temps, je devais admettre que c'était... concevable. C'est-à-dire si l'on se fiait à cette histoire de frisson. Car malgré tout mon amour pour Jack, mon cœur ne battait pas la chamade quand je le voyais, je ne redoutais jamais de croiser son regard – même si ses yeux bleu pâle étaient aussi beaux que ceux de David –, et si je rougissais en présence de Jack, eh bien, en vérité, c'est tout simplement parce que je suis rousse, et que les roux rougissent en présence de tout le monde.

Mais la personne en présence de qui je rougissais le plus, c'était encore une fois David.

Au fait, qu'avait-il dit sur Jack et sur son comportement de « rebelle » ? Que c'était... quoi déjà... complètement idiot ? Oui, c'est ça, complètement idiot. Maintenant que j'y réfléchissais, je me rendais compte que c'était effectivement complètement idiot de tirer sur la vitre de la voiture de son père pour protester contre quelque chose qui, certes, blessait des animaux mais pouvait sauver des vies humaines.

Et la fois où Jack avait plongé nu dans la piscine du Chevy Chase Country Club ? Contre quoi protestait-il ? Contre le règlement sur le port du maillot de bain dans l'enceinte du country club ? Vous savez quoi ? Je suis sûre qu'il y a des tas de gens au Chevy Chase Country Club qu'il vaudrait mieux ne pas voir nus dans la piscine. N'est-ce pas alors une bonne chose que d'imposer le port du maillot de bain ?

Et si Lucy avait raison ? Si j'aimais David depuis le début mais que je ne m'en étais pas aperçue ?

J'essayais de démêler mes pensées tout en me préparant un sandwich dans la cuisine, quand Jack a brusquement surgi dans l'encadrement de la porte.

— Salut, Sam ! a-t-il lancé en se dirigeant vers le réfrigérateur. Je ne savais pas que tu étais rentrée. Comment c'était, cette réception ?

— Pas mal. C'est fini, *Les Hauts de Hurlevent* ?

— Quoi ? a fait Jack en fouillant dans le réfrigérateur. Non, pas encore. C'est les pubs.

Il a sorti une carotte du bac à légumes puis m'a demandé :

— Au fait, mon tableau part à New York ?

Je savais que tôt ou tard, il me faudrait avoir cette conversation avec lui. Sauf que j'espérais que ce serait le plus tard possible.

— Jack, ai-je commencé en posant mon sandwich sur la table. Écoute...

Mais avant que les mots ne franchissent mes lèvres, il m'a dévisagée avec l'air de ne pas y croire.

— Attends... Ne dis rien. J'ai compris. Je n'ai pas gagné, c'est ça ?

J'ai pris une profonde inspiration tout en me préparant à la douleur qui m'envahirait immanquablement lorsque je prononcerais le mot qui lui ferait mal.

— Non, ai-je murmuré.

Jack, qui avait laissé la porte du frigo ouverte, a fait

un pas en arrière. Je l'avais blessé. Et pour ça, je m'en voudrais toute ma vie.

Mais ce qui m'étonnait, c'est que je ne souffrais pas. Je parle sérieusement. Je m'étais pourtant préparée à cette douleur intense qui devait s'emparer de moi, et je n'ai rien senti. Rien du tout. J'étais désolée d'avoir heurté ses sentiments, mais je ne souffrais pas. Comment pouvais-je blesser le garçon que j'aimais – mon âme sœur, celui auquel je me destinais pour la vie – et ne pas ressentir sa douleur dans toutes les fibres de mon corps ?

— Je n'arrive pas à y croire, a repris Jack, comme s'il avait enfin retrouvé la voix. Je n'arrive pas à y croire ! Je n'ai pas gagné ? C'est ce que tu es en train de me dire ?

— Jack, je suis vraiment désolée, mais on a reçu tellement d'œuvres, et...

— Attends, mais c'est dingue ! a-t-il dit.

En fait, il ne l'a pas dit. Il l'a crié. Il l'a hurlé. Manet, qui nous avait rejoints dans la cuisine dès qu'il avait entendu qu'on ouvrait la porte du réfrigérateur, a levé ses deux oreilles quand Jack a haussé la voix.

— C'est totalement dingue ! a répété Jack.

— Jack, je suis désolée...

— Mais pourquoi ? m'a-t-il alors demandé, ses yeux bleus remplis d'indignation. Dis-moi seulement pourquoi, Sam ?

— Eh bien, on en a reçu beaucoup. Vraiment beaucoup.

De toute évidence, il ne m'écoutait pas.

— Mon tableau était trop critique, c'est ça ? Ça ne peut être que ça. Dis-moi la vérité, Samantha. C'est parce que mon tableau était trop critique qu'il n'a pas été choisi ? Ils ne veulent pas que les autres pays voient à quel point la jeunesse américaine d'aujourd'hui est apathique ? C'est ça ?

J'ai secoué la tête.

— Pas exactement, Jack.

Bien sûr, j'aurais dû lui répondre oui ; cela aurait été tellement plus acceptable pour lui que la vraie raison. Je l'ai compris quelques secondes plus tard, quand je lui ai affirmé, un peu maladroitement :

— Tu n'as pas gagné parce que tu n'as pas dessiné ce que tu voyais.

Jack est resté silencieux. Il m'a regardée fixement, comme si ce qu'il venait d'entendre n'avait aucun sens.

— Quoi ? a-t-il fini par prononcer.

— Jack, reconnais que tu n'as pas peint ce que tu voyais. Ton tableau représente des jeunes marginaux – et il est super, mais ces jeunes ne sont pas réels. Ils n'existent pas. Tu ne connais même pas de jeunes comme eux. C'est comme... comme moi avec mon ananas. Il est parfait et tout ce qu'on veut, mais il n'est pas honnête. Il n'est pas vrai. Admets-le. Tu ne vois même pas de parking de 7-Eleven de la fenêtre de ta chambre. Je doute même que tu voies une poubelle.

— *Je n'ai pas peint ce que je voyais ?* a-t-il hurlé. *Je n'ai pas peint ce que je voyais ?* Mais qu'est-ce tu dis ?

— Tu sais bien. Ce que Susan Boone nous a expliqué. Sur le fait de peindre ce qu'on voit et non ce qu'on sait.

— Sam ! s'est écrié Jack. Il ne s'agit pas d'un cours sur l'art mais de ma chance de montrer mon travail à New York ! Tu as écarté mon tableau parce que je n'avais pas peint ce que je voyais ? C'est n'importe quoi !

— Hé !

Une voix familière a brusquement retenti. J'ai relevé la tête. Lucy se tenait sur le seuil de la cuisine.

— Que se passe-t-il ici ? On t'entend hurler dans toute la maison. Qu'est-ce que tu as ?

Jack m'a pointée du doigt. Apparemment, il était trop bouleversé pour expliquer à sa petite amie ce que j'avais fait.

— Elle... elle..., a-t-il bégayé. Elle dit que je n'ai pas peint ce que je voyais.

Lucy nous a regardés à tour de rôle puis a levé les yeux au ciel.

— Jack, s'il te plaît, arrête un peu.

Elle l'a alors pris par le bras et l'a entraîné dans le salon. Jack s'est laissé faire. On aurait dit un pantin, incapable de réagir.

Il n'était pas le seul dans cet état. La stupeur me paralysait tout autant. Mais non pas parce que Jack avait élevé la voix, ou parce que, en tant qu'âme sœur, je n'avais rien ressenti de sa douleur. Non. J'étais paralysée car, quand Jack était entré dans la cuisine alors que je ne m'attendais pas à le voir... mon cœur n'avait pas fait de bonds dans ma poitrine. Mon pouls ne s'était pas mis à battre plus vite. Je n'avais eu aucun problème pour respirer et aucune rougeur n'avait coloré mes joues.

Rien de ce qui m'arrivait quand je voyais David ne s'était produit. Je n'avais pas éprouvé le moindre frisson.

Ce qui ne pouvait signifier qu'une chose : Lucy avait raison. J'aimais David.

David, dont le père ne me supportait probablement plus depuis que j'avais osé le contredire devant tous les invités du Festival international pour l'Enfance.

David, qui m'avait offert un casque décoré de marguerites et avait gravé mon nom sur l'appui d'une fenêtre de la Maison Blanche.

David, qui ne voudrait sans doute plus jamais entendre parler de moi, après que je m'étais servie de lui pour rendre Jack jaloux.

David, qui s'était toujours montré parfait avec moi, et j'avais été trop bête – trop aveugle – pour m'en rendre compte.

Tout à coup, la bouchée du sandwich que j'avais mangée m'a pesé sur l'estomac. J'ai eu le vertige.

Qu'est-ce que j'avais fait ?

Qu'est-ce que j'avais fait ?

Mais plus important... *Qu'est-ce que j'allais faire ?*

Les dix raisons pour lesquelles il est fort probable que je mourrais jeune (et étant donné les circonstances, ce ne serait même pas une tragédie) :

10. Je suis gauchère. Des études montrent que les gauchers meurent dix à quinze ans plus tôt que les droitiers vu que tout est conçu pour les droitiers. Résultat, au bout d'un moment, les gauchers renoncent à se battre.

9. Je suis rousse, et les roux ont plus de chances de développer un cancer de la peau que n'importe quel autre individu.

8. Je suis petite. Les gens de petite taille meurent plus jeunes que les grands. C'est connu et personne ne sait pourquoi. À mon avis, c'est parce que les petits comme moi ne peuvent pas atteindre les flacons de vitamines au supermarché, car ils sont toujours placés sur les étagères les plus élevées.

7. Je n'ai pas de guide spirituel dans la vie. Sérieux. Les gens qui ont un mentor, un conseiller, un gourou vivent plus longtemps que ceux qui n'en ont pas.

6. Je vis en ville. Des études ont montré que les gens qui vivent dans des régions à forte densité, comme Washington, D.C., ont tendance à mourir plus jeunes que les habitants des campagnes, comme le Nebraska, à cause des émissions plus importantes de carcinogènes (gaz d'échappement et coups de feu).

5. Je mange beaucoup de viande rouge. Savez-vous quel est le peuple qui vit le plus longtemps ? Une tribu du côté de la Sibérie. Ils ne se nourrissent que de yogourt et de germes de blé. Je ne plaisante pas. Je ne crois pas qu'ils soient végétariens ; ils ne trouvent tout simplement pas de viande parce que les vaches sont toutes mortes de froid. Bref, ils vivent jusqu'à cent vingt ans.

Je déteste le yogourt et les germes de blé. Je mange un hamburger au moins une fois par jour. J'en mangerais plus si je trouvais quelqu'un qui m'en faisait.

4. Je suis la seconde de la famille. Les seconds meurent plus tôt que leurs aînés ou que leurs cadets car on a tendance à les oublier. Je n'ai pas

la preuve de ce que j'avance, mais j'en suis quasi sûre.

3. Je n'appartiens à aucune religion. Mes parent ne nous ont donné aucune instruction religieuse quand on était petites sous prétexte qu'ils sont agnostiques. Parce qu'ils ne sont pas sûrs de l'existence de Dieu, on n'a pas le droit d'aller à l'église. En attendant, les statistiques prouvent que les pratiquants vivent plus longtemps et ont des existences plus heureuses que les non-pratiquants.

2. J'ai un chien. Alors que les propriétaires d'animaux domestiques vivent plus longtemps que les gens qui n'en ont pas, les propriétaires de chats vivent encore plus longtemps. Résultat, parce que Manet est un chien, je pourrais périr cinq à dix ans plus tôt que si j'avais un chat.

Mais la raison principale qui fait que j'ai toutes les chances de mourir jeune, c'est que :

1. J'ai le cœur brisé.

Sérieux. Tous les signes sont là. Je dors mal, je ne mange plus – pas même des hamburgers. Et chaque fois que le téléphone sonne, mon cœur bat à tout rompre... sauf que ce n'est jamais pour moi. Car ce n'est jamais *lui*.

Tout est ma faute – j'ai tout gâché. Et je souffre.

Aucun être humain ne peut exister, le cœur brisé. Oh, bien sûr, je pourrais vivre sans David, mais quel genre de vie ce serait ? La vie d'une coquille vide. Quand je pense que la chance de connaître le parfait amour s'est présentée à moi, et que je l'ai laissée passer. JE L'AI LAISSÉE PASSER ! Pourquoi ? Parce que même si mes yeux sont ouverts, je ne vois rien. Rien du tout.

Je me donne encore deux semaines avant de mourir.

23

Je suis restée plantée devant la porte de chez Susan Boone avec l'impression de n'être qu'une idiote. Cela dit, comme j'ai toujours l'impression de n'être qu'une idiote, ça ne changeait pas trop.

Mais d'habitude, je me sens idiote sans raison particulière. Tandis que cette fois, j'avais une bonne raison.

J'étais plantée devant la porte de Susan Boone sans être attendue, un dimanche après-midi, en croisant les doigts pour que quelqu'un vienne ouvrir.

Sauf que personne ne venait.

Et plus le temps passait, plus je savais que si quelqu'un ouvrait, ce serait pour me dire : « Ne sais-tu pas qu'on ne passe pas chez les gens sans prévenir ? »

Ce qui était tout à fait normal puisque je n'avais pas appelé pour annoncer ma visite. Et pourquoi ? Parce que je craignais que Susan Boone ne me réponde :

« Ne peut-on attendre le cours de mardi pour parler, Sam ? »

Le problème, c'est que je ne pouvais pas attendre. Il fallait que je parle à Susan aujourd'hui. Mon cœur était brisé et j'avais besoin que quelqu'un me dise quoi faire. Mes parents ne m'étaient d'aucun secours ; mon état les perturbait eux-mêmes. Quant à Lucy, je préférais l'éviter. Son dernier conseil était : « Mets une mini-jupe et va le voir pour lui dire que tu es désolée. Tu es vraiment retardée, ma pauvre Sam ! » Rebecca, elle, s'était contentée de faire une grimace et d'ajouter : « Je t'avais prévenue. » Il restait Theresa, sauf que Theresa était toujours chez son fils Tito. Et Catherine, bien sûr. Mais Catherine n'avait que le nom de Paul à la bouche.

Bref, je me tenais devant la porte de chez Susan Boone sans l'avoir prévenue de ma visite. C'est plus difficile de refuser de voir quelqu'un quand cette personne se trouve déjà à votre porte que lorsqu'elle vous téléphone. Je le sais grâce à tous les journalistes qui essaient de m'interviewer.

Il n'y a rien de pire que d'attendre qu'on vous ouvre quand on sait que la personne va probablement vous claquer la porte au nez...

... sauf peut-être d'attendre devant cette même porte avec cinq baguettes dans son sac à dos.

Je ne sais pas pourquoi, mais j'ai senti qu'il fallait que j'apporte quelque chose. Bon d'accord, j'admets que le pain était une manière d'acheter le temps que

Susan Boone était censée me consacrer. Parce que je ne connais personne qui puisse résister aux baguettes de la Dame au Pain.

Il faut dire que je m'étais donné de la peine pour les obtenir. J'avais dû me lever aux aurores pour sortir Manet et l'emmener dans la direction opposée à d'habitude, changement qu'il n'a guère apprécié. Il n'arrêtait pas de tirer sur sa laisse pour me ramener vers le parc tandis que je tirais dans l'autre sens, vers la maison de la Dame au Pain. Et vu que Manet pèse son poids, je peux vous assurer que j'ai eu mal aux bras.

En tout cas, j'ai découvert que la Dame au Pain ne se lève pas avant huit heures, le dimanche.

Mais elle n'a pas paru étonnée de m'entendre tambouriner à sa porte pour lui commander du pain pour la fin de l'après-midi. En fait, elle semblait ravie.

Elle l'a livré pile à l'heure. Cinq belles baguettes dorées comme on n'en trouve nulle part ailleurs à Washington. Rien que l'odeur m'a presque mise en appétit. Je dis bien, presque. Les êtres humains qui ont le cœur brisé n'ont pas faim.

J'ai dû ensuite prendre le métro avec mes cinq baguettes qui dépassaient de mon sac. Ce n'est pas une expérience que je suis prête à renouveler.

Comme Susan Boone vit relativement loin du métro, j'en ai profité pour réfléchir à mes nombreux malheurs. Résultat, lorsque je suis arrivée devant chez elle, je pleurais.

Et alors, pourquoi pas ? Seul le désespoir le plus total avait pu me pousser à demander conseil à Susan Boone. N'oublions pas qu'il n'y a pas si longtemps, je la haïssais. Ou du moins, je ne la portais pas dans mon cœur.

À présent, j'éprouvais l'étrange sentiment qu'elle seule pouvait me dire comment rattraper le gâchis que j'avais fait de ma vie. Après tout, elle m'avait appris à voir : qui sait si elle ne pouvait pas m'apprendre à faire face à tout ce que je voyais, maintenant qu'elle m'avait ouvert les yeux.

Cela dit, lorsque j'ai entendu un bruit de pas dans le couloir – et les cris familiers de Joe –, j'ai quand même failli me sauver.

Trop tard. Le rideau de dentelles qui décorait la porte d'entrée se soulevait, et j'ai aperçu le visage de Susan Boone. Deux secondes plus tard, elle m'ouvrait, en salopette tachée de peinture, ses longs cheveux blancs noués en deux tresses.

— Samantha ? a-t-elle dit, étonnée. Que fais-tu ici ?

Je me suis débarrassée de mon sac à dos et je lui ai montré le pain.

— J'étais dans le quartier. Vous voulez du pain ? C'est une dame dans ma rue qui le fait elle-même.

Bon, d'accord, je bafouillais. Mais c'est parce que je ne savais pas quoi faire. Je n'aurais pas dû venir. Je l'ai compris à la minute même où Susan Boone a ouvert. C'était de la folie d'être venue. De la folie et de la bêtise. Qu'est-ce que Susan Boone en avait à faire de mes problèmes ? Elle n'était que mon professeur de dessin ! À quoi pensais-je en allant lui demander conseil ?

Joe, perché sur l'épaule de sa maîtresse, m'a salué de son habituel : « Bonjour Joe ! Bonjour Joe ! », mais je ne suis pas sûre qu'il m'ait reconnue avec ma casquette de base-ball.

Susan Boone a souri légèrement.

— Eh bien, puisque tu es là, entre, Sam. C'est très gentil à toi d'être... d'être passée avec du pain.

Je n'ai guère été surprise de découvrir que son intérieur était décoré de la même manière que l'atelier, avec des tas de vieux meubles posés un peu partout, et des cartons à dessin entassés contre les murs. Et bien sûr, une odeur d'essence de térébenthine flottait dans l'air.

— Merci, ai-je dit en la suivant et en retirant ma casquette.

Je venais à peine de libérer mes cheveux que Joe a sauté de l'épaule de Susan Boone pour se percher sur la mienne en criant :

— Joli oiseau ! Joli oiseau !

— Joseph ! a lancé Susan.

Et sur cet avertissement adressé à son perroquet, elle m'a invitée à prendre une tasse de thé.

Je lui ai aussitôt assuré que je ne voulais pas la déranger, que je ne restais qu'une minute. Elle m'a regardée en souriant et je n'ai pas eu d'autre choix que de la suivre dans sa cuisine, tout ensoleillée et aux murs peints en bleu – du même bleu que ses yeux.

Elle a tenu à préparer du thé, mais pas dans deux tasses dans le micro-onde, non, en mettant à chauffer de l'eau dans la bouilloire. Pendant ce temps, elle a examiné les baguettes puis a sorti du beurre et un pot de confiture, tout en mordant dans un quignon de pain.

— Hum, a-t-elle fait. Ce pain est délicieux. Je n'en ai pas mangé d'aussi bon depuis..., eh bien, depuis mon dernier séjour à Paris.

Je lui ai adressé un sourire, contente qu'elle apprécie mon cadeau, et je l'ai regardée manger un deuxième morceau.

— Alors, comment s'est passé ton Thanksgiving ?

Sa question m'a déroutée. Pour moi, seuls les gens ennuyeux posaient ce genre de question. Pas les artistes.

— Euh..., bien, ai-je répondu. Et vous ?

— Formidable.

On s'est tues, après. Oh, ce n'était pas un silence pesant, mais quand même. Seuls le sifflement de la bouilloire et les petits cris de Joseph résonnaient dans la pièce.

— J'ai un grand projet pour l'atelier, cet été, a tout à coup déclaré Susan Boone.

— Ah oui ? me suis-je empressée de dire, soulagée que le silence soit enfin rompu.

— Oui. J'ai l'intention de l'ouvrir tous les jours de

dix heures à dix-sept heures pour que des gens comme David et toi puissiez venir travailler toute la journée. Si vous en avez envie, bien sûr.

Je ne lui ai pas fait observer que selon moi, il était peu probable que David vienne – en tout cas s'il savait que moi, j'irais –, et je me suis exclamée :

— C'est super !

Au même moment, la bouilloire a sifflé. Susan s'est levée et a préparé le thé. Elle m'a ensuite tendu une tasse bleue sur laquelle était écrit *Matisse* puis elle en a pris une jaune avec *Van Gogh* dessus. Ensuite, elle s'est rassise à la table, en face de moi, sa tasse entre les mains. La vapeur montait en volutes blanchâtres de part et d'autre de son visage.

— Bien, a-t-elle brusquement déclaré. Et si tu m'expliquais pourquoi tu es venue d'aussi loin un dimanche après-midi, Samantha ?

J'ai failli ne pas lui dire la vérité et lui répondre : « J'étais en chemin pour chez ma grand-mère », mais quelque chose dans son regard m'a encouragée à être honnête. Soudain, tout en tripotant ma tasse de thé, je me suis mise à lui raconter toute l'histoire. Je ne pouvais plus m'arrêter. Tout y est passé : David, Jack, l'exposition *De ma fenêtre*, Maria Sanchez et le président.

Une fois mon discours fini, je suis restée immobile, le regard fixé sur mon thé. Je voyais un peu flou. Il faut dire que mes yeux étaient légèrement embués de larmes. Mais je m'étais juré de ne pas pleurer. Cela aurait été ridicule, encore plus ridicule que de prendre le métro avec cinq baguettes dépassant de mon sac à dos.

Susan, qui m'avait écoutée en silence, a bu une gorgée de thé et, d'une voix très calme, a dit :

— Samantha, tu sais ce que tu dois faire. David te l'a dit.

J'ai levé les yeux de ma tasse et je l'ai regardée. Joe a alors attrapé une mèche de mes cheveux, faisant mine de la tenir dans son bec, l'air de rien, même si nous savions l'un et l'autre que, lorsque je n'y prêterais pas attention, il tenterait de l'arracher puis s'envolerait.

— Tout ce que David m'a dit, c'est qu'il refusait de parler de Maria Sanchez à son père, ai-je déclaré.

— C'est vrai, mais tu ne l'as pas vraiment écouté, Sam. Tu l'as entendu, mais tu n'as pas écouté. Il y a une différence entre écouter et entendre, tout comme il y a une différence entre voir et savoir.

Vous comprenez maintenant pourquoi il fallait que j'aille chez Susan Boone ? Parce qu'elle seule pouvait m'expliquer qu'il y a une différence entre entendre et écouter. Tout comme elle m'avait expliqué qu'il y en a une entre voir et savoir.

— David t'a dit que tu étais libre de t'exprimer, au même titre que tous les Américains, a repris Susan.

— Oui, et alors ?

— Alors, a répété Susan, *tu es libre de t'exprimer*, Samantha. Comme tous les Américains.

— O.K., ai-je fait. Mais je ne vois toujours pas quel rapport cela a...

Tout à coup, ça a fait tilt dans ma tête. Je ne sais pas comment ni pourquoi, mais brusquement, les paroles de Susan – et celles de David – ont fait sens en moi.

Incroyable !

— Oh, non, ai-je murmuré en sursautant – et non pas parce que Joe avait réussi à m'arracher ma mèche de cheveux et à se poser d'un air triomphant sur le frigo. Vous croyez vraiment qu'il pensait à *ça* ?

— David parle rarement à la légère. Ce n'est pas un politicien. Il n'a aucune envie de marcher sur les traces de son père. Il veut être architecte.

— C'est vrai ?

Je n'en revenais pas. En fait, je commençais à me rendre compte que je ne savais rien sur David. Bien sûr, je savais qu'il aimait dessiner, et qu'il était plutôt doué. Et je savais qu'il s'amusait à mettre les couverts à salade quand il dressait la table. Mais il y avait telle-ment d'autres choses que je ne savais pas.

À cette idée, mon cœur s'est serré. Parce que j'avais le sentiment qu'il était trop tard désormais pour découvrir toutes ces choses que j'ignorais.

— À mon avis, il est facile de comprendre pour-quoi David ne tient pas à s'impliquer dans les affaires de son père. Car il n'aimerait pas qu'il s'implique dans les siennes, m'a expliqué Susan.

— Ouah..., ai-je fait, encore sous le choc de ses révélations.

— Oui, comme tu dis, ouah, a répété Susan en s'appuyant contre le dossier de sa chaise. Tu vois, Sam, ça a toujours été là...

J'ai froncé les sourcils.

— Quoi ?

— Ce que tu désirais. Tu n'avais qu'à ouvrir les yeux pour le voir. Et c'était là, devant toi.

À ce moment-là, la porte de la cuisine s'est ouverte sur un homme aux cheveux longs, les bras chargés de sacs de courses.

— Salut ! a-t-il lancé en me dévisageant d'un air amical mais curieux.

— Salut, ai-je répondu.

Était-ce le fils de Susan Boone ? Il semblait avoir vingt ans de moins qu'elle. Pourtant, jamais elle ne nous avait dit avoir un enfant ou un mari. Pour moi, c'était Joe et elle, un point c'est tout.

Mais peut-être n'avais-je pas écouté mais seulement entendu.

— Pete, a dit Susan, je te présente Samantha Madison. C'est l'une de mes élèves. Samantha, je te présente Pete.

Pete a posé ses courses sur la table. Il portait un jean et des bottes en cuir, comme celles des cow-boys ou des Hell's Angels. Et quand il m'a tendu la main, j'ai vu un tatouage représentant le logo Harley-Davidson sur son bras.

— Ravi de faire ta connaissance, a-t-il dit en serrant ma main gauche vu que j'avais toujours mon plâtre au bras droit.

— Eh, mais ça a l'air super bon, ça ! a-t-il ajouté en découvrant le pain.

Là-dessus, il s'est assis à table avec nous et a pris une tasse de thé.

En fait, Pete n'était pas le fils de Susan. C'était son petit ami.

Ce qui prouve que Susan avait raison sur une chose : parfois, ce qu'on désire est devant soi. Il suffit juste d'ouvrir les yeux pour le voir.

24

J'ai choisi Candace Wu.

D'après Lucy, j'aurais dû prendre une journaliste plus connue, comme Barbara Walters ou Katie Couric. Mais j'aimais bien Candace, parce que ma chute de l'estrade et surtout mon atterrissage sur ses genoux, le jour de ma conférence de presse à l'hôpital, l'avait fait éclater de rire.

J'ai très vite découvert que Candace n'était pas du genre à se laisser marcher sur les pieds. Quand, le porte-parole de la Maison Blanche lui a expliqué qu'il était hors de question que son équipe et elle viennent filmer le tableau de Maria Sanchez, elle lui a répondu que la Maison Blanche n'était pas une propriété privée. Elle appartenait au peuple des États-Unis d'Amérique et que, en tant que citoyens américains, son équipe et elle avaient autant le droit de s'y trouver que lui.

À moins, bien sûr, qu'il n'ait quelque chose à cacher.

M. White a fini par céder et j'ai montré à Candace toutes les toiles, y compris celle d'Angie Tucker. Je lui ai dit que le tableau d'Angie était très beau, mais que je préférais celui de Maria Sanchez.

— Est-ce vrai, Samantha, m'a demandé Candace devant les caméras, comme on avait prévu de le faire lors des répétitions, que le président vous a priée de choisir une œuvre, disons... moins politiquement engagée ?

— En vérité, Miss Wu, ai-je commencé, le plus naturellement du monde même si j'avais appris mon texte par cœur, il se peut que le président ne sache pas que les jeunes Américains ne s'intéressent pas uniquement au hit-parade. Certains sujets nous préoccupent. L'exposition *De ma fenêtre*, sponsorisée par les Nations unies, représente un forum idéal où les jeunes du monde entier peuvent exprimer leurs préoccupations. Ce serait regrettable, à mon avis, de réprimer leurs voix.

Ce à quoi Candace a répondu, tout comme elle me l'avait annoncé en échange de l'exclusivité de ma seule et unique interview télévisée :

— Vous voulez dire que l'homme à qui vous avez sauvé la vie ne vous autorise pas à faire votre propre choix en tant qu'ambassadrice des Nations unies pour la jeunesse ?

— Peut-être ne le peut-il pas à cause d'intérêts nationaux que nous ignorons, ai-je répliqué avec tact.

À ce moment-là, Candace a fait signe à son équipe d'arrêter la prise de vue. Il était temps d'aller à l'hôpital, où je devais faire enlever mon plâtre.

— Une minute ! s'est écrié le porte-parole de la Maison Blanche en courant derrière nous. Je suis sûr qu'il n'est pas nécessaire de diffuser ce passage. On pourra sans doute trouver un arrangement avec le président...

Mais Candace a attrapé son sac tandis que ses deux cameramen rangeaient leur matériel, puis elle nous a tous poussés vers la sortie en lançant :

— On reviendra, ne vous inquiétez pas !

Ce n'est qu'après notre retour de l'hôpital, à la maison, où Candace voulait filmer quelques prises de Manet et moi jouant sur mon lit, que le téléphone a sonné. Theresa est arrivée dans ma chambre tout excitée.

— Sam, a-t-elle murmuré, le président veut te parler.

Tout le monde s'est figé sur place – Candace, qui échangeait des tuyaux de maquillage avec Lucy, laquelle semblait fascinée par le métier de présentatrice télé ; Rebecca, qui se faisait expliquer par un éclairagiste comment se comporter comme une personne normale ; les cameramen, qui examinaient d'un peu trop près, si vous voulez mon avis, mon poster de

Gwen Stefani. Bref, ils ont tous retenu leur respiration tandis que je descendais du lit et prenais le téléphone.

— Allô ? ai-je dit.

— Samantha ! a hurlé le président si fort que j'ai dû écarter le combiné de mon oreille. Je viens d'apprendre que vous pensiez que je n'approuvais pas votre choix pour l'exposition des Nations unies ?

— C'est-à-dire que... je pense sincèrement que le tableau de Maria Sanchez est le meilleur, mais d'après ce que j'ai compris, vous...

— C'est celui ce que je préfère aussi, m'a coupée le président. Celui avec les draps qui sèchent.

— C'est vrai, monsieur le président ? Parce que vous aviez dit...

— Peu importe ce que j'ai dit. Vous aimez ce tableau ? Eh bien, nous allons le faire emballer et l'envoyer à New York. Et la prochaine fois que vous avez un problème de ce genre, parlez-m'en d'abord avant de vous adresser à la presse, d'accord ?

Je ne lui ai pas rappelé que c'était exactement ce que j'avais fait. Au lieu de cela, j'ai préféré répondre :

— Oui, monsieur le président. Je n'y manquerai pas.

— Parfait. Eh bien, au revoir, Samantha.

Et il raccroché.

Du coup, quand mon interview exclusive avec Candace Wu est passée le lendemain soir – le mercredi –, tout le passage expliquant que le tableau de Maria Sanchez n'avait pas gagné n'existait plus. À la place, on voyait un journaliste de San Diego se présenter chez Maria Sanchez et lui annoncer qu'elle avait remporté le concours. J'ai alors découvert que Maria avait mon âge et vivait dans une toute petite maison avec ses six frères et sœurs. Comme moi, elle était coincée au milieu d'eux tous.

Je le savais bien qu'il y avait une raison pour laquelle je préférais son tableau aux autres.

Lorsque le journaliste a appris à Maria qu'elle avait gagné, elle a éclaté en sanglots. Puis, elle a montré la vue qu'elle avait de la fenêtre de sa chambre. C'était exactement comme dans son tableau, avec des draps qui séchaient au vent et une barrière en barbelés au loin. Maria avait vraiment peint ce qu'elle voyait, et non pas ce qu'elle savait peindre.

Elle irait donc à New York et verrait son tableau exposé aux Nations unies, aux côtés de tous les autres tableaux qui avaient été sélectionnés. Apparemment, j'allais la rencontrer. M. White m'avait en effet précisé que j'irais moi aussi à New York pour l'inauguration de l'exposition. Dès que je l'avais su, je m'étais empressée de demander à mes parents si nous pourrions profiter de l'occasion pour visiter le Met, le musée de New York, et voir les impressionnistes. Ils avaient répondu oui.

J'étais prête à parier que j'y croiserais Maria.

Le soir de la diffusion de l'interview, on s'est tous assis dans le salon pour la regarder – Lucy, Rebecca, Theresa, Manet, mes parents et moi. Mes parents n'étaient pas au courant de toute la rencontre avec Candace Wu. Elle avait eu lieu alors qu'ils étaient encore au travail.

— Mon Dieu, Samantha ! Tu aurais pu ranger ta chambre ! s'est exclamée ma mère en voyant le bazar.

Je lui ai alors expliqué que Candace m'avait demandé de la laisser exactement dans l'état où elle était. Cela ferait plus authentique – une qualité à laquelle elle tenait énormément –, et me présenterait comme une « authentique héroïne américaine ».

D'autres personnes partageaient son point de vue. Comme le médecin qui a scié mon plâtre. Il a pris soin de contourner les dessins qui l'ornaient tout en me prévenant qu'une fois le plâtre retiré, mon bras me paraîtrait très léger.

Il ne disait pas faux ! Dès qu'il l'a enlevé, j'ai eu l'impression que mon bras flottait tout seul.

L'équipe de l'Institution Smithsonian aussi me considérait comme une authentique héroïne américaine. J'avais décidé de leur donner mon plâtre, au lieu de le vendre sur Internet. J'avoue que j'avais eu peur qu'ils refusent mon offre, la jugeant trop commune. Mais non. Pour eux, il représentait une espèce de relique, témoignant d'un moment important de l'histoire américaine.

L'entretien avec Candace se terminait sur une conversation que nous avions énormément travaillée, toutes les deux. Avant de lui donner mon accord pour m'interviewer, j'avais en effet exigé qu'elle me pose à

la fin une question bien précise sur... ma vie amoureuse.

— Le bruit court, Samantha... au sujet d'une certaine personne et de vous-même...

Plusieurs plans montraient alors David descendant
d'un avion, puis devant chez Susan Boone, ou en costume à la réception pour le Festival international de
l'Enfance.

— Est-ce vrai, continuait Candace, que vous sor-
tez avec le fils du président ?

— Eh bien, ai-je commencé en rougissant, je ne
sais pas quels sont ses sentiments à mon égard, mais
j'ai bien peur d'avoir tout gâché.

— Tout gâché ? répétait Candace, étonnée (bien
qu'elle sût que je lui répondrais ça). Mais comment,
Samantha ?

— Disons que je n'ai pas vu ce qu'il y avait devant
moi. Et à présent, je crains qu'il ne soit trop tard. J'ai
espéré que non... mais je me suis trompée.

En m'entendant prononcer ces mots à la télé, j'ai
attrapé le coussin sur lequel Manet était couché et j'y
ai enfoui mon visage en hurlant. Pourtant, je l'avais
bien dit et c'était le seul moyen pour essayer de répa-
rer ma terrible erreur – me rendre compte trop tard
que j'aimais David depuis le premier jour.

Mais je n'étais pas sûre que ça marcherait. Et c'est
pour ça que je hurlais.

— Qu'est-ce que ça veut dire ? a fait mon père,

l'air étonné. Qu'est-ce que ça signifie ? Samantha, vous vous êtes disputés, David et toi ?

— Ça, on peut dire qu'elle y est allée fort pour tout gâcher avec lui, a fait observer Theresa. Mais bon, s'il voit l'émission, peut-être qu'il lui donnera une seconde chance. Ce n'est pas tous les jours qu'une fille passe à la télé et vous demande si vous voulez sortir avec elle ?

Rebecca m'a adressé un regard plein de respect.

— C'est très courageux de ta part, Sam, a-t-elle dit. Plus courageux que ce que tu as fait quand tu as sauvé la vie de son père. Mais, bien sûr, rien ne garantit que ça va marcher.

— Tais-toi, Rebecca, a lâché Lucy en appuyant sur le bouton qui coupait le son de la télé, puisque l'interview était terminée.

Comme ce n'est pas souvent que Lucy prend ma défense, je l'ai observée avec curiosité de derrière mon coussin. C'est alors que j'ai compris ce qui me turlupinait chez elle, depuis deux jours exactement.

— Où est Jack ? ai-je demandé.

— On a cassé, a répondu Lucy.

Tout le monde dans la pièce – pas seulement moi – est resté bouche bée.

Mon père a été le premier à se ressaisir.

— Enfin ! s'est-il exclamé.

— Je le savais, a déclaré Theresa. Il s'est remis avec son ancienne petite amie, c'est ça ? Ah, les hommes !

Tous des..., et elle a terminé par plusieurs gros mots qu'elle a prononcés en espagnol.

— Pas du tout ! s'est écriée Lucy. Il ne s'est pas du tout remis avec son ancienne copine, c'est juste qu'il a été salaud avec Sam.

Je ne pensais pas pouvoir ouvrir la bouche plus que je ne le faisais. Pourtant, c'est bien ce qui m'est arrivé.

— *Avec moi ?* ai-je hurlé. De quoi parles-tu ?

— Tu sais bien, a répondu Lucy en levant les yeux au ciel. De cette histoire d'exposition. Ça lui a complètement tourné la tête. Du coup, je lui ai... C'est quoi déjà l'expression, Rebecca ?

— Tu lui as donné son congé ? a suggéré Rebecca.

— Oui, c'est ça, a dit Lucy tout en zappant d'une chaîne à l'autre. Hé ! Regardez ! David Boreanaz ! s'est-elle écriée.

Je n'en revenais pas. Lucy et Jack avaient cassé. À cause de moi. Dire que j'avais rêvé de ce moment pendant des mois et des mois. Sauf que dans mes rêves, Lucy et Jack rompaient parce que Jack comprenait enfin que j'étais la femme de sa vie. Jamais ils ne se quittaient parce que Lucy découvrait que Jack avait dit du mal de moi.

Et ils ne rompaient certainement pas après que je découvre que je n'aimais plus Jack... et ne l'avais peut-être même jamais aimé. Pas comme on est censé aimé un garçon, en tout cas.

Ça ne devait pas se passer ainsi. Ça ne devait pas du tout se passer ainsi.

— Lucy, comment peux-tu... après tout ce temps, laisser tomber Jack comme ça, du jour au lendemain. Et le bal de fin d'année ? Avec qui vas-tu y aller si tu n'es plus avec Jack ?

— J'ai le choix entre cinq garçons, mais je pense que je vais prendre mon partenaire en chimie.

— Greg Gardner ? ai-je hurlé. Tu veux aller au bal de fin d'année avec Greg Gardner ? Mais, Lucy, ce n'est pas drôle d'aller à un bal de fin d'année avec une grosse tête comme Greg Gardner !

Lucy a fait une moue agacée, mais seulement parce que mes cris l'empêchaient d'écouter l'interview de David Boreanaz.

— Sortir avec une grosse tête est très branché maintenant. Après tout, tu devrais le savoir puisque c'est toi qui as lancé la mode.

— La mode ? Quelle mode ?

Comme l'émission venait de s'interrompre pour une annonce publicitaire, Lucy a baissé de nouveau le son et s'est tournée vers moi.

— Tu sais bien. La mode de sortir avec une grosse tête. Depuis que tu es venue avec David chez Kris Parks, toutes les filles se sont ruées sur les grosses têtes. Kris sort d'ailleurs avec Tim Haywood.

— Le garçon qui a remporté le concours de science ?

— Oui. Et Debbie a largué Rodd Muckinfuss pour un tordu d'Horizon.

— Un tordu ? Une grosse tête ? s'est exclamée tout

à coup ma mère. Est-ce que vous vous entendez parler ? Il s'agit d'êtres humains, ne l'oubliez pas, des êtres humains qui ont des sentiments.

Comme ma mère, je commençais à être de plus en plus écœurée par ce que j'apprenais. Mais pas pour les mêmes raisons.

— Lucy, ai-je dit. Tu ne peux pas casser avec Jack. Tu l'aimes.

— Bien sûr, mais tu es ma sœur. Je ne peux tout de même pas sortir avec un garçon qui dit du mal de ma sœur ! Pour qui me prends-tu ?

Je l'ai regardée fixement, abasourdie. Lucy – ma sœur Lucy, la plus jolie et la plus appréciée de toutes les filles du lycée – avait quitté son petit copain, non pas parce qu'il lui avait été infidèle ou parce qu'elle s'était lassée de lui. Non, elle l'avait quitté pour moi. Moi, Samantha Madison. Et pas la Samantha Madison de l'attentat contre le président des États-Unis d'Amérique ni la Samantha Madison ambassadrice des Nations unies pour la jeunesse.

Non. Samantha Madison, la petite sœur de Lucy Madison.

À ce moment-là, la culpabilité m'a envahie. Lucy avait fait cet énorme sacrifice – bon d'accord, peut-être pas aussi énorme que ça pour elle, mais quand même –, et quel genre de sœur avais-je été pour elle ? Hein ? Une sœur qui avait espéré – non, prié – pendant des mois pour qu'ils se séparent afin de pouvoir prendre sa place. C'était enfin arrivé et pourquoi ?

Parce que Lucy m'aimait plus qu'elle ne pourrait jamais aimer n'importe quel garçon.

Bref, j'étais la pire sœur qui puisse exister sur Terre. J'étais la plus méprisable.

J'ai levé les yeux. Apparemment, Lucy semblait en avoir assez de cette conversation, mais David Bareanaz était réapparu à l'écran.

— Bon d'accord, a-t-elle concédé. Je vais y réfléchir.

— Oui, Lucy, tu devrais vraiment y réfléchir. Jack est un garçon formidable.

— O.K., O.K., a fait Lucy légèrement agacée. Je viens de te dire que j'allais y réfléchir. Maintenant, tais-toi, j'aimerais écouter l'émission.

Ma mère, qui comprenait un peu tard ce qui était en train de se passer, a déclaré :

— Tu sais, Lucy, si tu veux sortir avec cet autre garçon, ton partenaire de chimie, ton père et moi serions ravis. N'est-ce pas, Richard ?

— Oui, tout à fait. D'ailleurs, pourquoi ne l'amènerais-tu pas après les cours demain ? Je suis sûr que Theresa n'y verrait aucun inconvénient.

Le mal était fait mais je savais que Lucy et Jack seraient de nouveau ensemble demain à l'heure du déjeuner. Ce qui me rassurait. Et me faisait très plaisir.

Parce que je n'aimais pas Jack et ne l'avais probablement jamais aimé. Pas vraiment, en tout cas.

Le problème, c'est que j'étais quasi sûre que le garçon que j'aimais ne m'aimait pas, lui.

En même temps, j'avais le pressentiment que je serais définitivement fixée sur mon sort, le lendemain, au cours de Susan Boone.

25

— Observez bien ce crâne, a déclaré Susan Boone en soulevant le crâne d'une vache, blanchi par le soleil et le sable. Regardez bien les couleurs. J'aimerais voir toutes ces couleurs sur votre feuille.

Elle a posé le crâne sur la table, au milieu de la pièce, puis elle a enfermé Joe dans sa cage. Avant que j'aie le temps d'enfiler mon casque, il avait réussi à m'arracher une mèche.

Je me suis assise à ma place, évitant soigneusement de regarder David, installé à côté de moi. Impossible de deviner s'il était heureux de me voir ou non, ou même s'il se souciait de ma présence. Je ne lui avais pas adressé la parole depuis la réception à la Maison Blanche. Du coup, j'ignorais s'il avait suivi mon interview, s'il savait que j'avais écouté ses conseils en faisant valoir ma liberté d'expression, ou que j'avais tout simplement admis, devant vingt millions de téléspectateurs, que je l'aimais.

— Ne t'inquiète pas, n'avait pas cessé de me dire Lucy. Il a vu ton interview.

Lucy ne pouvait pas se tromper. C'était une experte en ce qui concernait les garçons. N'avait-elle pas renoué avec Jack aussi légèrement qu'elle l'avait quitté ? Un jour, ils se séparaient, le lendemain, on les voyait assis côte à côte, au réfectoire, comme si de rien n'était.

— Salut Sam ! avait lancé Jack quand j'étais passée devant leur table pour rejoindre la mienne. Écoute, je suis désolé. J'espère que tu ne m'en veux pas. C'est juste que j'étais déçu pour l'exposition.

— C'est rien. Pas de problème, avais-je répondu.

Parce que ce n'était effectivement pas un problème. J'avais des soucis bien plus importants. Comme faire comprendre à David que c'est lui que j'aimais et non Jack. Pour me rassurer, je me répétais que c'était peu probable qu'il n'ait pas vu mon interview : elle était passée à l'heure de plus grande écoute et avait été largement annoncée, depuis le dimanche, quand j'avais contacté Candace Wu.

Mais il existait toujours une possibilité qu'il ne l'ait pas regardée. Une possibilité que j'allais devoir vérifier en lui posant tout bonnement la question.

Ce qui était pire que s'adresser à vingt millions d'étrangers.

Sa présence à mes côtés me paralysait tellement que

je me sentais incapable d'engager la conversation. En arrivant au cours de Susan Boone, on s'était souri, David m'avait dit : « Salut. » je lui avais répondu : « Salut ».

Et c'est tout.

Comme si le destin ne s'acharnait pas suffisamment sur moi ces derniers temps, David portait aujourd'hui un tee-shirt de No Doubt. Mon groupe préféré et ma chanteuse préférée, Gwen Stefani. Dire que le garçon qui me plaisait portait un tee-shirt de l'un de leurs concerts !

J'avais les mains tellement moites que je pouvais à peine tenir mes crayons. Quant à mon cœur, il reproduisait à lui tout seul le solo à la batterie d'Adrian Young.

« Dis-lui quelque chose », je ne cessais de me répéter, « Dis-lui quelque chose ».

Sauf que je n'en ai pas eu le temps. Susan Boone a frappé dans ses mains : nous avions suffisamment observé le crâne et nous devions à présent nous mettre à nos dessins.

David s'est aussitôt penché sur sa feuille. J'avais raté l'occasion de lui parler.

Du moins, c'est ce que je pensais.

Alors que je cherchais comment rendre les couleurs que je voyais – malgré tout mon amour pour David, j'arrivais tout de même à me concentrer –, un bout de papier a atterri sur mes genoux.

J'ai sursauté puis j'ai regardé David.

Il semblait tout aussi absorbé par son travail que moi un instant plus tôt. En fait, si je n'avais pas décelé l'ombre d'un sourire sur ses lèvres, j'aurais pu hésiter sur la provenance du papier.

Je l'ai alors déplié.

Et j'ai lu, rédigé de l'écriture précise d'un futur architecte :

Amis ?

Je n'en revenais pas. David voulait qu'on redevienne amis ? J'ai commencé à griffonner :

Oui, bien sûr !

quand brusquement quelque chose m'a fait lever mon crayon. Je ne sais pas si c'est à cause de ce qui s'était passé ou si j'avais fini par apprendre une chose ou deux ou si encore mon ange gardien, Miss Gwen Stefani, ne s'était pas penchée sur moi pour retenir ma main.

Quoi qu'il en soit, j'ai déchiré un morceau de feuille de mon carnet à croquis et dessus, j'ai noté, le cœur battant la chamade, mais convaincue que c'était maintenant ou jamais, et que je devais lui dire la vérité :

Non. Je veux qu'on soit plus que des amis.

Et j'ai glissé la feuille sur sa table. Bien que je fasse

mine d'être cette fois totalement occupée par mon dessin, j'ai épié la réaction de David du coin de l'œil. Je l'ai regardé déplier le papier et le lire. Puis j'ai vu qu'il fronçait les sourcils.

Deux secondes plus tard, un nouveau morceau de papier atterrissait sur mes genoux.

Avec l'impression de ne plus pouvoir respirer, je l'ai ouvert. David avait demandé :

Et Jack ?

Je n'ai eu aucun mal à répondre à cette question. Ça a même été un soulagement pour moi que de rétorquer :

Quel Jack ?

Parce que c'était exactement ce que je ressentais.

Mais ce qui m'a le plus étonnée, c'est la réponse de David par laquelle il me faisait part de ses vrais sentiments.

Si j'avais déjà été heureuse – si un événement m'avait déjà remplie de joie au point de penser que mon cœur allait exploser –, ce n'était rien comparé à ce que j'ai éprouvé en ouvrant le nouveau petit papier que David venait de m'envoyer et sur lequel il avait dessiné un cœur.

C'est tout. Juste un petit cœur.

Ça ne pouvait signifier qu'une chose : il m'aimait.

Il m'aimait.
Il m'aimait.

26

La cérémonie pour la remise de la médaille a eu lieu une semaine après.

Je ne me suis pas habillée en noir. Je n'y tenais pas. En fait, je m'en fichais. C'est comme ça, quand on est amoureux. On se fiche de ce genre de choses.

Sauf quand on s'appelle Lucy.

Si je ne me souciais pas de mon allure, je pouvais faire confiance à ma mère, à Theresa et à Lucy pour qu'elles s'en soucient, elles. Elles m'ont forcée à porter un tailleur bleu clair.

Pour en revenir à la réception, elle s'est déroulée dans le Salon bleu, devant l'arbre de Noël de la Maison Blanche, magnifiquement décoré de guirlandes et de boules de toutes les couleurs.

Il n'y avait que des gens importants, dont des colonels de l'armée en uniforme, des sénateurs en costume trois pièces, et ma famille, bien sûr, à laquelle j'avais ajouté Theresa, Catherine et ses parents, Candace Wu, Jack, Pete et Susan Boone.

Le président a prononcé un discours me concernant. J'avoue que certains passages m'ont donné des élans patriotiques, même si j'ai eu un peu de mal à le suivre en entier. Il faut dire que David, qui se tenait aux côtés de son père, était tellement mignon.

Quand je pense que je l'avais trouvé ridicule avec une cravate ! À présent, j'étais parcourue de frissons quand il en portait une. En vérité, j'étais parcourue de frissons dès que je voyais David.

Quand j'ai eu reçu ma médaille – en or, accrochée à un ruban de velours rouge –, tout le monde a applaudi et j'ai dû poser pour les photos tandis que les autres se jetaient sur les gâteaux et les boissons. David a été le seul à m'attendre. Dès que les photographes m'ont libérée, il s'est approché de moi et m'a embrassée sur la joue. Évidemment, un reporter s'est empressé d'appuyer sur le déclencheur de son appareil, mais ça ne nous a pas embêtés parce que, au cours de la semaine qui venait de s'écouler, on s'était embrassés plus que souvent, et pas que sur la joue, d'ailleurs.

Et laissez-moi vous dire une chose : embrasser – ce qui, inutile de le préciser, ne m'était jamais vraiment arrivé avant –, c'est super agréable.

Une fois qu'on a retrouvé tout le monde pour le thé, je suis passée d'un groupe à un autre et j'ai fait en sorte que mes invités se sentent à l'aise. J'ai ainsi présenté Susan Boone et Peter aux parents de Catherine, et David a présenté Jack et Lucy au ministre de la Justice et à sa femme.

Puis, alors que tous bavardaient et semblaient passer un bon moment, David s'est glissé vers moi avec l'un de ses petits sourires secrets et m'a murmuré à l'oreille :

— Suis-moi.

Je l'ai suivi le long du couloir jusqu'à la pièce où on avait mangé nos hamburgers.

David s'est approché de la fenêtre qui donnait sur la pelouse de la Maison Blanche et j'ai vu qu'à côté de mon nom, il avait ajouté autre chose.

Le signe +

Du coup, maintenant on pouvait lire

David + Sam

Ce qui, tout bien considéré, était plutôt une bonne façon de laisser sa trace dans l'histoire.

Dix raisons pour lesquelles je suis très contente, après tout, de ne pas être Gwen Stefani :

10. Je ne suis pas obligée de partir en tournée. Je peux rester chez moi avec mon chien et voir mon petit copain quand je veux... enfin, jusqu'à onze heures, le week-end, et dix heures en semaine, et tant que mes notes en allemand ne baissent pas.

9. Entre le lycée, les cours de dessin, mes obligations d'ambassadrice, je n'ai pas vraiment le temps de penser à ma garde-robe. S'habiller avec une certaine recherche est en fait une grande responsabilité.

8. Je pense qu'écrire et interpréter des chansons est moins satisfaisant, du point de vue de la création, que de dessiner un œuf.

7. Gwen doit donner des tas d'interviews, ce que

je fais moi-même en tant qu'ambassadrice. Mais Gwen, elle, est interviewée par *Teen People*, par exemple, qui ne s'intéresse qu'à sa garde-robe. Tandis que moi, je suis interviewée par *The New York Times Magazine*, qui n'en a rien à faire de ce que je porte sur le dos.

6. Gwen change souvent son piercing au nombril. Mon nombril n'est pas exactement ce qu'il y a de mieux chez moi. De toute façon, mon père m'a dit que s'il me surprenait avec un piercing au nombril, il m'obligerait à travailler pendant tout un été à son bureau, au lieu de me laisser dessiner des œufs ou des crânes de vache à l'atelier de Susan Boone.

5. D'après Theresa, dont la sœur tient un institut de beauté, si je teignais mes cheveux aussi souvent que Gwen, je les perdrais tous.

4. Gwen est dehors toute la journée, et tous les jours de la semaine, avec les garçons de son groupe. Les seuls garçons avec qui je traîne, c'est mon petit ami, le petit ami de ma sœur, et le petit ami de ma meilleure amie, et aucun d'eux, jusqu'à présent, n'a laissé entendre qu'il avait envie de jouer de la batterie nu, ce qui, si vous voulez mon avis, serait très embarrassant.

3. Gwen n'est peut-être pas au courant, mais les

grosses têtes font les meilleurs petits amis. Ça paraît surprenant, mais c'est vrai. Vous vous souvenez des petits sourires de David. Eh bien, il m'a avoué que c'était parce qu'il pensait ne jamais rencontrer une fille aussi cool que moi.

Et puis, c'est plutôt agréable quand ses parents apprécient le garçon avec qui on sort.

2. La sœur de Gwen, qui est certainement très cool et tout, ne peut pas être aussi cool que Lucy, même si parfois, elle m'énerve. Après tout, elle était prête à larguer son copain pour moi ! Vous en connaissez beaucoup des sœurs comme ça ?

Mais la raison essentielle pour laquelle je suis très heureuse de ne pas être Gwen Stefani, c'est que :

1. Je ne serais pas moi !

FIN

CE ROMAN VOUS A PLU ?

DONNEZ VOTRE AVIS ET
RETROUVEZ L'AGENDA DES NOUVEAUTÉS
SUR LE SITE

www.Lecture-Academy.com

« Pour l'éditeur, le principe est d'utiliser des papiers composés de fibres naturelles, renouvelables, recyclables et fabriquées à partir de bois issus de forêts qui adoptent un système d'aménagement durable. En outre, l'éditeur attend de ses fournisseurs de papier qu'ils s'inscrivent dans une démarche de certification environnementale reconnue. »

Composition Nord Compo

Achevé d'imprimer en Espagne par RODESA
Dépôt légal : 1ʳᵉ publication novembre 2012

20.3297.7 – ISBN : 978-2-01-203297-2
Édition 01 – novembre 2012

Loi n° 49-956 du 16 juillet 1949
sur les publications destinées à la jeunesse.